BOOK ESPÍRITA EDITORA

Capa
Marco Mancen

Projeto Gráfico / Diagramação
Mancen Editorial

Imagens Capa
Depositphotos

Ilustrações do miolo
Manoela Costa

Revisão
Iara

Marketing e Comercial
Michelle Santos

Pedidos de Livros e Contato Editorial
comercial@bookespirita.com.br

Copyright © 2025 by
BOOK ESPÍRITA EDITORA
Região Oceânica, Niterói,
Rio de Janeiro.

3ª edição
Prefixo Editorial: 991053
Impresso no Brasil

Dados Internacionais de Catalogação na Publicação (CIP)
(Câmara Brasileira do Livro, SP, Brasil)

```
Brestonini, Nina
   O lado azul da vida / [pelo espírito] Nina
Brestonini ; [psicografado por] Osmar Barbosa ;
ilustração Manoela Costa. -- 3. ed. rev.
-- Niterói, RJ : Ed. do Autor, 2024.

   ISBN 978-65-89628-55-2

   1. Romance espírita I. Barbosa, Osmar. II. Costa,
Manoela. III. Título.

24-239051                                    CDD-133.93
```

Índices para catálogo sistemático:

1. Romance espírita psicografado   133.93

Eliane de Freitas Leite - Bibliotecária - CRB 8/8415

Todos os direitos reservados e protegidos pela Lei 9.610, de 19/02/1998. Nenhuma parte deste livro pode ser reproduzida ou transmitida por quaisquer formas ou meios eletrônicos ou mecânicos, incluindo fotocópia, gravação, digitação, entre outros, sem permissão expressa, por escrito, dos editores.

Book Espírita Editora
3ª Edição
| Rio de Janeiro | 2025 |

Osmar Barbosa

Todos os livros psicografados por Osmar Barbosa

Compre em:
www.compralivro.com.br

1. Cinco Dias no Umbral
2. Gitano – As Vidas do Cigano Rodrigo
3. O Guardião da Luz
4. Orai & Vigiai
5. Colônia Espiritual Amor e Caridade
6. Ondas da Vida
7. Antes que a Morte nos Separe
8. Além do Ser – A História de um Suicida
9. A Batalha dos Iluminados
10. Joana D'Arc – O Amor Venceu
11. Eu Sou Exu
12. 500 Almas
13. Cinco Dias no Umbral – O Resgate
14. Entre nossas Vidas
15. O Amanhã nos Pertence
16. O Lado Azul da Vida
17. Mãe, Voltei!
18. Depois
19. O Lado Oculto da Vida
20. Entrevista com Espíritos – Os Bastidores do Centro Espírita
21. Colônia Espiritual Amor e Caridade – Dias de Luz
22. O Médico de Deus
23. Amigo Fiel
24. Impuros – A Legião de Exus
25. Vinde à Mim
26. Autismo – A escolha de Nicolas
27. Umbanda para Iniciantes
28. Parafraseando Chico Xavier

29. Cinco Dias no Umbral – O Perdão
30. Acordei no Umbral
31. A Rosa do Cairo
32. Deixe-me Nascer
33. Obssessor
34. Regeneração – Uma Nova Era
35. Dica do Dia - Com Osmar Barbosa
36. Deametria – Hospital Espiritual Amor e Caridade
37. A Vida depois da Morte
38. Deametria – A Desobsessão Modernizada
39. O Suicídio de Ana
40. Cinco Dias no Umbral – O Limite
41. Guardião – Exu
42. Colônia Espiritual Laços Eternos
43. Despertando o Espiritual
44. Por que Você Morreu?
45. Aconteceu no Umbral
46. O Diário de um Suicida
47. Superior Tribunal Espiritual
48. Bem-vindo ao Umbral
49. O Diário de um Morto
50. Exilados do Planeta Terra
51. Um Espírita no Umbral
52. A Garota do Balão
53. O Outro Lado da Vida
54. Um Obsessor no Centro Espírita
55. Orientações do Além
56. Em Busca do Tempo Perdido
57. O Livro Proibido - Marabô
58. Depressão - A vida sem mim
59. Hospital Amor e Caridade - Obreiros do Bem

O autor doou todos os direitos desta obra à Fraternidade Espírita Amor e Caridade. www.hospitalamorecaridade.org

Conheça um pouco mais de Osmar Barbosa:
www.osmarbarbosa.com.br

Recomendamos a leitura dos outros livros psicografados por Osmar Barbosa para maior familiarização com os Espíritos que estão neste livro.

O Editor.

Agradecimentos

Agradeço primeiramente a Deus, por ter me concedido esse verdadeiro privilégio de servir humildemente como um mero instrumento dos planos superiores.

Agradeço a Jesus Cristo, espírito modelo, por guiar, conduzir e inspirar meus passos nesta desafiadora jornada terrena.

Agradeço aos meus mentores espirituais e aos demais espíritos, ao lado dos quais tenho a honra e o privilégio de passar alguns dias de minha vida trabalhando e aprendendo no socorro espiritual que me é permitido nesta encarnação. Agradeço aos médiuns, voluntários, auxiliares, amigos, parceiros e colaboradores em geral.

Agradeço, ainda, pela oportunidade e por permitirem que estas humildes palavras, registradas neste livro, auxiliem as pessoas a refletirem sobre suas atitudes, evoluindo.

E agradeço a você, leitor amigo, que comprou este livro e que, com sua colaboração, nos ajudará a levar a Doutrina Espírita e todos os seus benefícios a mais e mais pessoas.

Obrigado!

A todos, os meus mais sinceros agradecimentos.

Osmar Barbosa

Quem é Osmar Barbosa?

Um pouco da minha história.

Sou médium, dirigente, expositor, mas, acima de tudo, humano!

Cresci em São Gonçalo, no Rio de Janeiro, onde tive minhas primeiras experiências mediúnicas. Ainda na infância, tive a oportunidade de conviver com uma pessoa maravilhosa, que, na Terra, foi a minha mãe, Aurora Barbosa.

Com ela, aprendi a ser gente, amar as pessoas e valorizar tudo e todos. Acho que aprendi também a ser simples em minha maneira de ver o mundo.

De formação católica, conheci a Doutrina Espírita por orientação de companheiros espirituais, tendo ingressado no movimento espírita em 1976, no Grupo Espírita Frei Fabiano de Cristo, dirigido pela saudosa amiga Carolina Araújo.

Mais tarde, fundei a Casa Espírita de Oração Luz do Oriente, hoje chamada Fraternidade Espírita Amor e Caridade, onde no momento atuo como presidente em Itaipu, Niterói, no Rio de Janeiro, e desenvolvo atividades mediúnicas e sociais.

Sou comprometido com o ideal espírita, perfeitamente humano e cheio de perguntas para as quais não tenho respostas, embora tenha muitas respostas para perguntas que nunca formulei.

Adoro ser humano, bater um bom papo, ser amigo, rir, viajar e me divertir com a minha família.

Não sou obcecado por trabalho.

Acho que precisamos de um tempo para curtir a vida, o mundo e as pessoas. O planeta Terra é muito bonito e precisamos ter um tempo à disposição para apreciar o mundo e suas experiências.

Adoro respirar ar puro e ouvir MPB. Curto muito cinema, principalmente drama, comédia e suspense.

Gosto de experimentos culinários e uma boa praia. Sou apenas humano, como você e muita gente boa por aí. Adoro ficar em casa com a minha esposa e os meus filhos. Curto muito o meu lar, as minhas netas e os amigos.

Eu nunca pensei que chegaria onde estou, pois a vida não foi fácil no começo. Tive perdas que foram muito difíceis de superar, mas sempre me reinventei nos momentos mais difíceis e acho que ainda me reinvento diariamente para sobreviver e aprender com tudo e todos que se relacionam comigo nesta vida.

Sou estudioso da mediunidade e defendo a mediunidade séria em todos os sentidos, pois tenho convicção de que o dom da mediunidade é algo muito especial, e especialmente deve ser exercido.

Aprendi com meus mentores que a "mediunidade é um dom divino, e divinamente devemos exercê-la".

Todos os dias aprendo com meus mentores espirituais e com os acontecimentos que a vida me traz, pois sei que nada que me acontece é por acaso. Tudo o que chega até mim traz um ensinamento, até mesmo aquilo que, em alguns momentos, acho ser ruim.

Assim, minha vida está sempre em transformação, pois coloco em prática tudo o que aprendo. Sempre exteriorizo todos os ensinamentos que minha religião me traz, pois sei que, se não tiver a bondade, a capacidade e o amor de compartilhar tudo o que aprendo, quando eu deixar a vida humana, todo o meu esforço terá sido em vão, uma vez que todo o meu aprendizado morrerá comigo. Por isso, partilho o tempo todo tudo o que sei e aprendo em minhas experiências mediúnicas e também na vida humana.

Entendo que muitas vezes não serei compreendido e aceito por acreditar no que acredito e fazer o que faço, mas devo ter a sabedoria de compreender que nem mesmo Jesus foi aceito e compreendido quando esteve entre nós.

No mais, quero viver todas as experiências possíveis e extrair delas a minha evolução, que é pessoal e intransferível.

Este sou eu!

> *A vida não se resume a esta vida!*

Nina Brestonini

Sumário

17 | PREFÁCIO
27 | COLÔNIA ESPIRITUAL AMOR E CARIDADE
37 | FELIPE
43 | A REVELAÇÃO
55 | A PRIMEIRA LIÇÃO
63 | A VIDA
69 | ALGUM TEMPO DEPOIS
77 | QUINZE ANOS
87 | O LIMITE
94 | A VIDA POR UM FIO
111 | DESTINO
125 | A REALIDADE ESPIRITUAL
137 | ALÉM DA VIDA
141 | O PRETÉRITO ESPIRITUAL
155 | DE VOLTA À VIDA
161 | O UMBRAL
167 | DE VOLTA À REVELAÇÃO
173 | PARIS
185 | DEIXE-ME VIVER
197 | A VIDA ALÉM DA VIDA

> *Todos os dias, recebe uma página em branco no livro da vida. O que é que você está escrevendo?*

Osmar Barbosa

Prefácio

Você certamente já se perguntou muitas vezes sobre o assunto. Acredito que, como eu mesmo, muitos apresentaram as incertezas ao se aprofundarem no estudo do Espiritismo em relação às dúvidas do cotidiano.

Bem, vamos a alguns pensamentos do Espiritismo...

O Espiritismo acredita que o amor, em toda forma pura, é equivalente. Jesus pediu que nos amássemos mutualmente, não importando se entre homem e mulher, irmão e irmã ou até mesmo amigos e inimigos.

Seguindo essa lógica, entendemos que toda forma de amor, desde que verdadeira, pura e pautada no **respeito** mútuo, é a forma de amor que Jesus Cristo nos ensinou. Daí temos que nos perguntar: por que um casal homoafetivo, onde os companheiros se respeitam e se amam de verdade, haveria de ser algo contra a Lei de Amor? Contra as Leis de Deus?

Agora, analisando esse pensamento, temos a seguinte situação: não seria mais nocivo à Lei de Amor um casal heterossexual cujos companheiros não se respeitam e levam uma vida leviana e desregrada? Segundo a lógica espírita, uma união somente é inválida perante a Lei de Progresso e

Amor quando uma das partes se utiliza inapropriadamente da energia sexual, da confiança e do respeito.

Em outras palavras, o Espiritismo **não** é contra a união homoafetiva, mas contra **qualquer** união, homoafetiva ou heterossexual, em que sejam demonstrados o desrespeito e, principalmente, a promiscuidade, na qual se afasta a Lei de Amor.

Será essa a visão correta com relação à homossexualidade na visão espírita? Fico me questionando sobre a essência dos espíritos. **Os espíritos possuem sexo?** Chegamos, então, a um dos pontos-chave da questão da homossexualidade. Allan Kardec, em *O Livro dos Espíritos*, pergunta 200, questiona: "Os espíritos têm sexo?"

E a resposta é: "Não como o entendeis, pois os sexos dependem da organização. Há entre eles amor e simpatia, mas baseados na concordância dos sentimentos."

Entendemos daí que os espíritos não possuem sexo definido, visto que, na Lei de Progresso, deverão passar pelas provações de encarnar em ambos os sexos, a fim de aprender e evoluir em situações diferentes, exigidas em cada gênero.

Na *Revista Espírita* de 1866, Kardec relata o seguinte: "O Espiritismo ensina que as almas podem animar corpos de homens e mulheres. As almas ou espíritos não têm sexo; as afeições que as unem nada têm de carnal; fundem-se numa simpatia real e, por isso, são mais duráveis."

Segundo nos ensina o Espiritismo, e poderemos constatar nas linhas deste livro, há muito mais mistérios entre o céu e a terra do que podemos imaginar. Há muitos mistérios que precisamos compreender.

Descobri nesta linda mensagem, que tive a honra de psicografar, que os espíritos se ligam por laços de amor eterno, construídos por centenas ou até mesmo milhares de encarnações juntos, tantas vezes quantas forem necessárias à evolução do espírito. Justo! Sim, justo. Tenhamos consciência de que nosso Pai cuida carinhosamente de todos os Seus filhos, de forma justa e misericordiosa. Deus não é um tirano e, muito menos, um juiz que, de onde governa Sua Criação, julga ou condena qualquer espírito que esteja expiando em busca de sua evolução, objetivo primordial da existência dos espíritos.

A homossexualidade é coisa da carne, e não do espírito... Somos todos homossexuais, se olharmos pela óptica de espíritos eternos, já que necessitamos experimentar as psiques masculina, feminina e suas variantes para nos desenvolvermos e nos tornarmos espíritos melhores, sempre buscando a perfeição, tão desejosa a todos os espíritos que estão em evolução.

Como seria evoluir sem sentir a dor que uma mãe sente no momento do parto?

Como seria evoluir sem carregar no corpo a responsabilidade de alimentar aqueles que foram colocados no mundo por você?

Como seria se não sentisse o amor de mãe ou mesmo o amor de pai?

Está certo que são sentimentos diferentes... São amores diferentes, que todos nós precisamos conhecer para aperfeiçoarmos o que dizemos amar.

Precisamos conhecer todas as formas de amar para podermos aperfeiçoar o amor, que o Criador tanto deseja de nós.

"Amai-vos uns aos outros como eu vos amei."

Como me aperfeiçoaria espiritualmente se não tivesse as oportunidades de experimentar e aperfeiçoar minhas virtudes nas psiques masculinas e femininas?

E se houvesse a necessidade homoafetiva?

Seria eu proibido, julgado e condenado pelo Criador, que permitiu e permite a liberdade total do espírito através do livre-arbítrio, ferramenta justa e perfeita para a evolução de todos?

Embora parecidos, são sentimentos diferentes. São experiências evolutivas. São virtudes que todos nós necessitamos desenvolver para seguirmos para outros planos, para seguirmos em frente em nossa jornada evolutiva. Esse é o objetivo de Deus quando deixou sobre a Terra as experiências masculinas, femininas e homoafetivas. Além disso, é necessário experimentarmos as psiques para podermos evoluir e, assim, colaborarmos com a Criação.

Nada se perde... Tudo se auxilia mutuamente.

Como saberei o que sente uma mulher se eu nunca experimentar viver como mulher? Ou vice-versa...

Como saber o que sofre um espírito quando escolhe uma encarnação homoafetiva, quando é julgado pelo simples fato de ter escolhido o que o faz feliz e o completa?

Uma coisa é certa: quando encarnamos, é como se entrássemos num palco para interpretar um papel.

E, quando desencarnamos, é como se a cortina fechasse e a interpretação terminasse. Daí retornamos ao plano espiritual para, se necessário for, nos prepararmos para um novo retorno e uma nova interpretação. Nessa nova interpretação, seremos um novo personagem, onde poderemos trocar de raça, posição social, nacionalidade, sexo, família etc.

Então, podemos dizer que, na atual encarnação, uma mulher não **é** mulher; ela **está** na psique feminina. Um homem não **é** um homem; ele **está** na psique masculina. Um espírito que escolheu encarnar com a psique homoafetiva não é, na verdade, um homoafetivo; ele está homoafetivo. E isso serve para todas as experiências carnais que o espírito escolhe como forma de auxiliá-lo a evoluir.

Os homens que se sentem ofendidos quando veem um homoafetivo precisam entender que podemos encarnar várias vezes num mesmo sexo — por exemplo, num corpo feminino. Daí, quando encarnamos num corpo masculino, trazemos na lembrança espiritual as sensações, os desejos e os costumes de quando usávamos um corpo feminino. Isso é mais comum do que se imagina. Quantos homens você conhece ou pode conhecer que têm um jeito afeminado, mas que na verdade são héteros? Mulheres também podem apresentar traços masculinos, mas são mulheres...

Assim, acontece o contrário também. Pode-se encarnar várias vezes num corpo masculino e, quando ocorre a troca de corpo em uma nova encarnação, guardam-se a lembrança e as sensações da encarnação vivida muitas vezes como homem. Por isso vemos mulheres masculinizadas e homens afeminados, seguros em suas psiques. Esses são alguns dentre vários outros pontos que poderemos apreciar nesta obra.

Quem nunca viu, ou ouviu, uma criança reclamar à sua mãe que está no corpo errado? Quantas crianças, desde tenra idade, já apresentam características masculinas estando num corpo feminino ou vice-versa?

Quando aprendermos isso, veremos que todo racismo, preconceito e discriminação é bobagem. É tolice julgar ou querer mudar aquilo que ainda não compreendemos.

Você pode me perguntar: "Existe homossexualidade por modismo?"

A homossexualidade pode se desenvolver como curiosidade, muitas vezes motivada pelo modismo determinado pela mídia televisiva e pela imprensa em geral. Muitos jovens se classificam bissexuais porque querem "experimentar" ou por terem se decepcionado com o parceiro. Enfim, vemos que a "moda" existe, sim. Nesse caso, não há lembranças de vidas passadas. O que há é uma vontade própria, que nós, espíritas, chamamos de livre-arbítrio, como citado anteriormente.

No livro *Vida e Sexo*, psicografado pelo nosso querido irmão Francisco Cândido Xavier, Emmanuel disse:

"Em torno do sexo, será justo resumirmos as normas seguintes: não proibição, mas educação. Não abstinência imposta, mas emprego digno, com o devido respeito aos outros e a si. Não indisciplina, mas controle.

Não impulso livre, mas responsabilidade. Fora disso, é teorizar simplesmente, para depois aprender e recomeçar a obra da sublimação pessoal, tantas vezes quantas se fizerem precisas, pelos mecanismos da reencarnação, porque a aplicação do sexo, ante a luz do amor e da vida, é assunto pertinente à consciência de cada um."

Como podemos notar, para a Doutrina Espírita, a homossexualidade é apenas um estágio evolutivo que não fere as Leis Divinas e não se trata, muito menos, de um equívoco do Criador.

O que mais nos vale é a reforma íntima, independentemente da orientação sexual que escolhermos.

O Espiritismo recomenda a todas as criaturas a conscientização a respeito da sacralidade do corpo físico e da sexualidade, como fonte criativa e criadora, destinada a ser fonte de prazer físico e espiritual, sobretudo de realização, em todas as suas formas de expressão.

A homossexualidade deve ser compreendida por nós como uma das muitas experiências que o espírito vivencia em sua trajetória, para que finalmente aprenda verdadeiramente para além dos implementos genéticos que o caracterizam como homem ou mulher.

O Espiritismo nos ensina que o espírito não tem sexo e que um mesmo espírito pode, em diferentes encarnações, habitar igualmente o corpo de um homem ou o corpo de uma mulher, podendo amar homens e mulheres, como relatado anteriormente.

Como nos esclarecem os espíritos superiores, o espírito não possui sexo. Pelo menos, não como entendemos — é o que respondem na pergunta 200 de O Livro dos Espíritos, como já pudemos ver anteriormente.

Na *Revista Espírita* de 1862, Kardec afirma: "Os sexos só existem no organismo. São necessários à reprodução dos seres materiais. Mas os espíritos, sendo criação de Deus, não se reproduzem uns pelos outros, razão por que os sexos seriam inúteis no mundo espiritual."

Para que a evolução e o desenvolvimento do espírito ocorram em plenitude, necessário se faz que o espírito tenha experiências reencarnando ora no sexo feminino, ora no sexo masculino e também como homoafetivo.

Bom, minha gente, o papo está ótimo, mas temos uma incrível experiência a trocarmos nas páginas seguintes deste livro.

Sejam muito bem-vindos ao livro *O Lado Azul da Vida*.

Boa leitura!

Osmar Barbosa

> *Você domina as palavras não ditas, porém está subordinado àquelas que pronunciou!*

André Luiz

Colônia Espiritual Amor e Caridade

— Bom dia, Nina!
— Bom dia, Lucas!
— Como você está?
— Bem, muito bem! E você, meu amigo?
— Estou bem também. Diga-me uma coisa, você está sabendo que acabei de chegar de um resgate que realizamos no Umbral?
— É, eu soube, Lucas. Parabéns!
— Quem foi que lhe contou?
— Foi o Marques.
— Hum! Sempre ele, o Marques...
— Mas por que você veio até aqui para me dizer isso, Lucas? Resgates são corriqueiros aqui na colônia.
— É que vi algo que me deixou inquieto nessa missão, sabe, Nina.
— O que houve, Lucas?
— Sei que eu deveria tirar essa minha dúvida com o nosso querido Daniel, mas me sinto envergonhado em perguntar isso a ele. Eu me sinto mais à vontade conversando com você. Você sabe, né?

— Desembuche logo, Lucas! — diz Nina.

— Nina, eu e o guardião fomos resgatar um rapaz que estava no Umbral. O nome dele é Fernando. Nós o trouxemos e eu o coloquei na enfermaria de número seis. Ele está aos cuidados da doutora Sheila e foi colocado no sono da recuperação. Está bem agora.

— Pare com rodeios e vá direto ao assunto, Lucas.

— Calma, Nina. Poxa...

— Pare com os rodeios desnecessários, Lucas. Fale logo. O que você quer saber?

— Não é isso, Nina. É que não sei bem como lhe perguntar.

— Perguntando, ora. Falando...

— Sabe o que é? É que, ao chegarmos no Umbral, perto do Fernando havia uma menina, de nome Raquel. Ela parecia estar tomando conta dele, que estava desacordado. Ela nos pediu para acordá-lo, mas eu disse que não poderia fazer isso. Ela não se mostrou assustada. Depois que lhe expliquei o porquê de nossa presença, ela nos pediu para trazê-la para cá. Porém, o guardião disse que não poderíamos ajudá-la. Ela ficou um pouco inconformada e triste naquele momento e começou a chorar. Eu fiquei muito preocupado. Na verdade, fiquei muito chateado em não poder ajudá-la. Até cheguei a insistir com o guardião, mas ele foi taxativo: "Não viemos buscá-la. Nada podemos fazer."

— E o que você fez?

— Sentei-me ao lado dela enquanto os maqueiros colocavam o Fernando na maca de resgate. Pedi para abraçá-la. Daí, lentamente, ela se acalmou e logo parou de chorar.

— Que bom, Lucas! — diz Nina, colocando a mão direita sobre o ombro do amigo.

— Mas não foi isso que me deixou incomodado e com muitas dúvidas, Nina.

— Então, o que foi, Lucas?

— Podemos nos sentar? — propõe o jovem amigo.

— Claro que sim! Venha, vamos nos sentar naquele banco ali — diz Nina, apontando para um banco próximo ao local onde estavam, embaixo de uma frondosa árvore de flores azuis.

Após se sentarem, Lucas continua:

— Nina, durante o pouco tempo em que ficamos juntos, a Raquel, a menina lá do Umbral, me disse que o Fernando era o irmão e melhor amigo dela e que eles haviam sido assassinados por um grupo de rapazes, que os espancaram até a morte.

— Nossa, que coisa horrível!

— Sim, ela ainda me disse que estava ao lado dele tentando acordá-lo há alguns meses, mas não conseguia. Isso a deixava muito triste e, algumas vezes, se desesperava sem saber o que poderia fazer para ajudar o irmão. Ela disse ter consciência de que estava desligada do corpo físico, pois já havia algum tempo que estava no Umbral. Disse-me que ela e o Fernando foram mortos pelo fato de serem homossexuais.

— Nossa, que violência desnecessária!

— Sim, eles foram mortos a pancadas, desferidas com pedaços de pau, socos e, por fim, facadas. Ela me disse que foi um grupo de radicais que perseguia e matava homossexuais na cidade em que eles viviam.

— E você, o que fez?

— Eu a abracei ainda mais forte. Pedi a ela que se mantivesse em orações e disse que iria conversar com você para obter ajuda para resgatá-la. Prometi que, se houvesse permissão, eu voltaria para buscá-la.

— E ela?

— Acalmou-se e, depois de algum tempo, permitiu que trouxéssemos o Fernando. Ela é muito ligada a ele. Eu a convenci de que vir conosco seria a melhor coisa que poderia acontecer a ele. Falei de nossa colônia e de todos aqui. Ela ficou mais animadinha e até esboçou um sorriso. Sabe, Nina, ela é muito bonita. Eu gostaria muito que você me ajudasse a resolver essa questão. Pode me ajudar a socorrer a Raquel?

— Vamos fazer assim: vou agora mesmo visitar o Fernando na enfermaria e tentar saber um pouco mais dessa história. Conversarei com a Sheila e verei em que posso ajudar. Prometo a você, meu amigo. Não fique triste. Eu prometo que vou fazer o possível para ajudar. Tristeza e lágrimas não são bem-vindas nas colônias espirituais.

— Eu lhe agradeço, Nina. E, se você puder, me auxilie a compreender um pouco mais dessa história de homossexualidade. Dois irmãos, ambos assassinados. Mortos por suas escolhas sexuais... Isso me deixou muito triste e curioso. Eu gostaria de compreender melhor tudo isso.

— Então, vamos fazer assim: após visitar o Fernando e falar com a Sheila, vou falar com o Daniel e pedir uma audiência com ele para que nos explique melhor sobre a homossexualidade. Sei de algumas regras e escolhas que, como você sabe, nos são permitidas nas encarnações. Quanto à homossexualidade, acho que convém conversarmos com o Daniel. Afinal, ele é o governador espiritual de nossa colônia e está capacitado para nos dar esse ensinamento.

— Na verdade, é isso que gostaria de lhe pedir, Nina, mas fiquei sem graça.

— Deixe de bobagem, Lucas! Vou falar com o Daniel. Eu compreendo que podemos escolher como viveremos no mundo espiritual. Sei que posso escolher ser mulher ou homem desde que eu tenha experimentado ambas as formas. Eu, por exemplo, já tomei consciência de minhas experiências femininas e masculinas e preferi viver como Nina mesmo, pois é a forma à qual mais me adaptei para seguir evoluindo.

— Sim, eu também preferi viver como Lucas, embora, por vezes, tenha dificuldade em compreender as coisas d'Ele.

— Isso é normal, Lucas. É difícil aceitar todas essas coisas quando se chega aqui na vida espiritual.

— É, eu sei. Já enfrentei muitos desafios por escolher permanecer como Lucas.

— Pois é, meu amigo. Como disse, eu já me acostumei a usar esta forma.

— Obrigado, Nina, por seus ensinamentos.

— De nada. Agora vou procurar a Sheila e depois vou pedir para marcar uma hora com o Daniel, como prometido. Fique tranquilo, que peço para alguém avisá-lo.

— Obrigado mais uma vez.

— Agora me deixe cuidar das crianças, que já estão me esperando para a aula de hoje.

— Vá, Nina! Vá! E obrigado de coração por me compreender e me auxiliar sempre.

Nina aproxima-se de Lucas, abraça-o e segue apressadamente para a ala das crianças que existe na Colônia Amor e Caridade.

A Colônia Espiritual Amor e Caridade é especializada no restabelecimento do perispírito quando a matéria sofre as enfermidades causadas pelo câncer. As quimioterapias e as radioterapias aplicadas em pacientes de câncer causam lesões no perispírito, que precisam ser reparadas quando o espírito é socorrido e levado aos hospitais espirituais. Por usarem materiais radioativos, esses tratamentos são danosos à composição fluídica do perispírito.

Amor e Caridade está localizada na Colônia das Flores, que fica sobre o estado de Santa Catarina, adentra os estados de São Paulo e Mato Grosso e alcança, ainda, uma pequena parte do estado do Paraná.

Tratamentos de câncer prolongados causam ferimentos maiores e precisam ser tratados no mundo espiritual. O câncer é uma enfermidade que causa o desequilíbrio celular, que, por sua vez, causa má reprodução das células. O esforço da ciência para curá-las causa as lesões tratadas na Colônia Espiritual Amor e Caridade e em outras colônias.

Após o tratamento de equilíbrio perispiritual, feito por meio de passes fluídicos e terapias, e a conscientização da vida eterna, esses espíritos são transferidos para outras colônias. Alguns são encaminhados para a reencarnação em Nosso Lar e em outras colônias. Outros são convidados a servir em diversas colônias no mundo espiritual ou, por afinidade e formação acadêmica, ficam a servir a seus semelhantes na própria colônia em que vivem, em constante estado de ampliação.

Em Amor e Caridade, você vai encontrar inúmeros médicos e enfermeiros recém-desencarnados servindo nas diversas enfermarias existentes na colônia.

A forma física adquirida por meio das reencarnações é um estado evolutivo. Os espíritos são criados simples e ignorantes e vivem experiências minerais, animais e humanas; outras formas estão seguindo na escala evolutiva. Lesões e perdas de partes do corpo, como amputações, danificam a forma espiritual adquirida ao longo da evolução, mas novas formas continuam por vir. Desse modo, esses espíritos precisam ser ajustados para continuarem em sua trajetória de evolução.

É bom lembrar que as cidades espirituais que se localizam mais próximas à Terra normalmente são planos transitórios. Existem outros planos superiores e também inferiores. Nas colônias, os espíritos aprendem a se desligar da matéria — alguns, lentamente; outros, com uma adaptação mais rápida.

A Colônia Espiritual Amor e Caridade é também a responsável pelo resgate de crianças vítimas de câncer nas centenas de enfermarias e hospitais espalhados pelo Brasil e, por vezes, atende a outros países da América do Sul.

Ela é governada por Daniel, experiente e iluminado espírito, que, após vivenciar diversas encarnações, segue auxiliando e orientando todos os operários da colônia. São muitos os espíritos que trabalham em Amor e Caridade. Muitos deles viveram experiências juntos na Terra e agora se reencontraram para seguirem evoluindo juntos na Colônia Espiritual Amor e Caridade.

Auxiliado por Rodrigo, Felipe, Nina, Marques, Soraya, Lucas e tantos outros, Daniel cumpre sua tarefa com rigor e prazer. Excelente professor, ele educa e auxilia com simplicidade e amor. Todos os ensinamentos que Daniel proporciona ao grupo de Amor e Caridade são riquíssimos em detalhes, facilitando o aprendizado. Ele nos auxilia também por meio das obras psicografadas, que chegam a todo momento, vindas dessa colônia.

A Colônia Amor e Caridade é composta por treze grandes galpões, três dos quais são dedicados à recuperação, à transição e ao realinhamento por meio de terapias do sono e passes dados por espíritos auxiliares. Quatro galpões servem de enfermaria aos pacientes na idade adulta que desencarnam em hospitais, vítimas de câncer. Dois galpões são especialmente destinados às crianças, também vítimas de câncer.

Há, ainda, um prédio — o maior de todos —, no qual funciona o setor administrativo, com salas e teatros amplos, onde são feitas as reuniões com os espíritos que trabalham na Terra em casas espíritas, centros cirúrgicos e hospitais.

Os três galpões que ainda não foram mencionados funcionam como centros de treinamento e escola. Há, em toda a colônia, amplos jardins, lagos e praças, onde os espíritos recolhidos se encontram para o lazer e orações contemplativas. As praças são enormes e gramadas, com diversos brinquedos para as crianças — balanços, pedalinhos, escorregadores, entre outros.

Mais informações sobre a colônia, você encontrará nos livros *Colônia Espiritual Amor e Caridade I e II*, do mesmo autor.

Felipe

Nina segue até a ala das crianças, onde Felipe está participando da recreação infantil no intervalo da aula, e se aproxima.

— Oi, Felipe!

— Oi, Nina! Você estava demorando, daí aproveitei para brincar um pouco com as crianças.

— Eu estava lá nos jardins conversando com o Lucas.

— Ele já chegou da missão?

— Sim, acabou de chegar do Umbral. Ele voltou cheio de dúvidas e está muito inseguro.

— O que foi que houve?

— Ele está com muitas dúvidas relacionadas à opção sexual nas encarnações. Homossexualidade, entende?

— Você explicou a ele?

— Não, não expliquei.

— Por quê? — pergunta Felipe.

— Acho que esse resgate tem alguma coisa a ver com ele. Não achei prudente me aprofundar no assunto. Como você sabe, o Daniel está sempre aprontando conosco. E é dessa forma que conseguimos compreender melhor as coisas de Deus. É na prática que aprendemos e podemos compreender os melhores ensinamentos, aqueles que transformam o nosso ser. Não podemos nos esquecer de que é por meio das provas que nos aperfeiçoamos. Assim como quando estamos encarnados, é por meio dos dissabores que podemos conhecer e desfrutar dos sabores da existência. Sabe, Felipe, acho que há algum mistério nessa missão de resgate do Lucas.

— Como assim?

— Ele chegou aqui muito mexido. Ficou muito sensível após conversar com a Raquel, a irmã do resgatado. Ele me disse que a encontrou no Umbral.

— Você acha que isso tem alguma relação com as vidas anteriores do Lucas?

— Não sei, Felipe. Eu só não me senti segura em conversar com ele sobre o Fernando e a Raquel.

— Ele não sabe de nada, né?

— Isso! Ele não sabe de nada.

— E você irá ajudá-lo ou transferirá o assunto para o Daniel?

— Acho melhor o Daniel falar com ele. É mais seguro levarmos esta situação para o Daniel.

— É. Sem dúvida, essa é a melhor escolha — diz Felipe.

Então, uma linda menina que estava atenta à conversa de Nina e Felipe interfere.

— O que é escolha, tio Felipe? — diz a pequena Bruna, aproximando-se.

— Olá, Bruna! — diz Nina, tomando a pequena menina no colo.

— Oi, tia Nina!

— Como a senhorita está? — pergunta Nina, acariciando os longos cachos loiros da menina.

— Estou bem. Agora estou bem. Sinto que fiquei boa do câncer.

— Sim, agora você está curada do câncer — diz Felipe, acariciando o rosto da jovem menina de apenas 8 anos.

Nina aperta Bruna contra seu corpo e acaricia a face da menina.

— Mas, tia, me responda: o que é escolha?

— Escolha é aquilo que você decide sozinha, Bruna.

— Quer dizer que a escolha é tipo escolher com quem vou brincar?

— Sim, é tipo isso. Aqui nós chamamos isso de livre--arbítrio — diz Felipe, apontando o indicador direito para Bruna.

— Acho mais bonitinho esse nome. Como é mesmo, tia Nina? Livre...

— Livre-arbítrio, Bruna. Livre-arbítrio.

— Isso! Acho mais bonitinho esse nome. Agora eu sei o que é e vou usar o meu livre-arbítrio para escolher os meus amiguinhos para brincar. Tia, a senhora pode me colocar no chão, por favor?

— Claro, madame — diz Nina, sorrindo.

— Tchau, tia! Tchau, tio! — diz Bruna, correndo para brincar com as outras crianças.

Nina e Felipe se entreolham e sorriem.

— Voltemos ao nosso assunto... Diga-me, você conversará com o Daniel sobre esses irmãos que foram resgatados?

— Felipe, a Raquel não foi resgatada.

— Não?

— Não. Só o Fernando foi trazido para cá.

— Meu Deus! Por que ela não foi trazida?

— Vamos até a sala do Daniel?

— Sim, vamos.

— Só espere um pouco. Preciso falar com a Tália sobre as crianças.

— Sim. A Tália está na sala três, dando aula.

— Obrigada.

Nina vai até a sala conversar com Tália. Em alguns minutos, após passar as recomendações, Nina volta a encontrar-se com Felipe.

— Vamos, Felipe?

— Sim, vamos.

> *Cada dia que amanhece assemelha-se a uma página em branco, na qual gravamos os nossos pensamentos, ações e atitudes. Na essência, cada dia é a preparação de nosso próprio amanhã.*

Chico Xavier.

A Revelação

Nina e Felipe chegam ao amplo prédio onde fica a parte administrativa da colônia. Logo na entrada, há uma grande sala de recepção onde Marques, auxiliado por mais seis assistentes, coordena os atendimentos feitos pelas diretorias responsáveis por todo o trabalho da colônia.

— Bom dia, Marques!

— Bom dia, Nina! Olá, Felipe!

— Oi, Marques! Como vai?

— Estou bem, e vocês?

— Estamos ótimos — diz Nina.

— Marques, por gentileza, há alguma possibilidade de o Daniel nos atender?

— Ele está com um pessoal que chegou da Colônia Nosso Lar, mas acredito que não vá demorar muito. Eles já estão aqui há algum tempo. Pelo que conheço do Daniel, dentro de alguns minutos ele vai me chamar para acompanhar nossos confrades até a saída.

— Será que podemos esperar?

— Claro, Felipe! Como você sabe, o Daniel adora a Nina e certamente fará questão de atendê-los. É só esperar um pouco.

— Vamos esperar, Marques. Se você puder, avise-o que estamos aqui — diz Nina.

— Vou avisá-lo. Pode deixar. Agora sentem-se, que já volto.

— Obrigada, Marques.

— Obrigado, Marques — diz Felipe.

— De nada. Agora, se me dão licença…

Marques afasta-se e vai em direção à sala de Daniel.

Após algum tempo, ele volta.

— Nina, falei com ele. Ele pediu para vocês aguardarem, pois a reunião já está terminando. Disse, ainda, que precisa mesmo falar com vocês. Pediu para que eu lhes servisse água. Vocês aceitam?

— Não, Marques, obrigada.

— E você, Felipe?

— Obrigado, Marques, mas eu também não quero — diz Felipe, ajeitando-se na confortável cadeira branca.

— Vamos esperar. Logo ele os chamará — diz Marques, sentando-se em sua cadeira.

— Obrigada, Marques.

— E como estão as crianças, Nina?

— Estão ótimas, Marques. Estão felizes e radiantes com as transformações.

— Seu trabalho é o mais lindo que acontece em nossa colônia. Não desmerecendo os outros irmãos que auxiliam tantos irmãozinhos que chegam desesperados da encarnação, mas trabalhar com crianças realmente é uma dádiva de Deus.

— Eu também acho, Marques. Sinto-me privilegiada de poder auxiliá-las nessa fase tão importante de suas vidas.

— Sim, eu que o diga! — diz Felipe.

— É, Nina, Deus capacita Seus melhores soldados para as mais difíceis batalhas. E você tem se saído muito bem nesta nobre missão.

— Obrigada, Marques.

— Nina, você algum dia imaginou que, após seu desencarne, teria pela frente tão nobre missão?

— Eu nem imaginava, Marques, que tudo isso estava me esperando. Na verdade, como a maioria das pessoas encarnadas, nem certeza eu tinha da vida eterna, quiçá de uma eternidade de serviços aqui nesta maravilhosa colônia.

— É, Nina, infelizmente falta fé aos encarnados. Falta-lhes conhecer melhor o Criador — ressalta o nobre amigo.

— Já ouvi alguma coisa nesse sentido. Conhecer o Criador e a criatura... — diz Felipe.

— Você certamente estudou o Gênesis em algum momento de sua existência, Felipe. É nele que está o maior ensinamento para termos a certeza da vida eterna.

— Você se lembra do que diz, Nina?

— Perfeitamente, Marques.

— Então, conte-nos, Nina.

— O livro de Gênesis afirma que o homem é um ser criado à imagem e semelhança de Deus: "Então disse Deus: 'Façamos o homem à nossa imagem, conforme a nossa semelhança'. (...) Criou Deus o homem à Sua imagem, à imagem de Deus o criou; homem e mulher os criou." Assim surgiram os espíritos, pois Deus nunca esteve na condição humana, quiçá na Criação de tudo e de todos. Nosso Deus nunca foi e nunca será humano.

— Lindo ensinamento, Nina.

— Obrigada, Felipe.

— Sim, muito bonito esse ensinamento, Nina. Só devemos nos lembrar de que homem e mulher foram as formas físicas criadas por Deus para exercitarmos nossas paixões — diz Marques.

— Sim. São as psiques, tão necessárias à evolução de todos os espíritos.

— Isso mesmo, Felipe! A psique masculina, para exercitarmos algumas virtudes; a psique feminina, para despertar nos espíritos encarnados o mais nobre sentimento de todos e também outras experiências em psiquismos que, na verdade, servem para a nossa evolução moral e pessoal.

— Qual é esse sentimento, Nina?

— O amor — responde Felipe.

— Obrigada, Felipe — diz Nina.

— Olhem quem está vindo — diz Marques, levantando-se rapidamente.

Daniel aparece acompanhado de mais dois iluminados e abre os braços carinhosamente para acolher Nina em seu peito.

— Veja só quem me deu a honra de me esperar.

Encabulada, Nina aconchega-se nos braços de Daniel.

Um longo e carinhoso abraço é trocado entre Daniel e Nina. Felipe, Marques e os outros dois amigos espirituais assistem a tudo com um leve sorriso no rosto e alegria no coração.

— Daniel, você realmente é muito especial para mim — diz Nina.

— Obrigado, querida Nina. Olá, Felipe!

De forma carinhosa, Felipe beija suavemente a mão do nobre espírito de luz.

— O prazer é todo meu, Daniel, de estar ao seu lado.

— Senhorita, me sinto lisonjeado em conhecê-la — diz Clarêncio, o nobre espírito visitante de Nosso Lar.

— Obrigada, senhor — diz Nina, estendendo a mão e cumprimentando o espírito visitante.

Felipe cumprimenta imediatamente o nobre amigo.

Lícias repete o gesto de Clarêncio e cumprimenta Nina.

— Senhorita, é um prazer conhecê-la pessoalmente, visto que ouço tanto falar a seu respeito — diz Lícias.

— Espero que tenham falado bem de mim, nobre irmão.

— E quem se atreveria a falar mal de uma irmã tão cheia de vida e luz? — diz Daniel.

Todos riem e se abraçam, despedindo-se dos visitantes.

— Até breve, Clarêncio — diz Daniel.

— Até breve, amigos — diz Lícias.

Assim, Clarêncio e Lícias se despedem e saem da Colônia Espiritual Amor e Caridade. Nina, Daniel e Felipe se encaminham ao confortável gabinete do nobre dirigente.

— Então, Nina, a que devo esta visita tão ilustre? Sentem-se, por favor — diz Daniel, indicando as confortáveis cadeiras.

— Perdoe-me incomodá-lo mais uma vez, Daniel — diz Nina, ajeitando-se na cadeira colocada à frente da imensa mesa branca onde Daniel despacha diariamente.

— Para mim, nunca é um incômodo atendê-la, Nina.

— Daniel, sabe o que é? É que o Lucas me procurou com uma dúvida ferrenha e eu fiquei com muita pena dele. Na hora, não tive coragem de lhe falar a respeito. Preferi conversar com você primeiro para me esclarecer melhor, pois assim, quem sabe, poderei explicar a ele detalhadamente o que está acontecendo com o Fernando e a Raquel.

— Fernando é o jovem recém-chegado à colônia, é isso?

— Sim, ele acabou de ser resgatado pelo Lucas e pelo guardião lá no Umbral. Ele está sob os cuidados da Sheila na enfermaria seis.

— Sei bem do que se trata — diz Daniel.

— Se não for incomodá-lo, Daniel... — diz Nina.

— De maneira alguma, Nina! Já está mesmo na hora de expormos a ele e a todos como funciona a sexualidade na vida espiritual e na vida terrena. Já é hora de todos saberem a verdade.

Marques, que vinha acompanhando Nina e Felipe e ouvindo tudo, fica curioso e pede a Daniel para participar da reunião.

— Daniel, por gentileza, posso participar desta reunião?

— Sim, Marques. Claro que sim. Sente-se, meu nobre amigo.

— Sente-se aqui, Marques — diz Nina, apontando para uma cadeira ao seu lado.

A sala de Daniel é enorme e tem uma grande mesa branca com algumas cadeiras dispostas à sua frente. Atrás do lugar onde Daniel está sentado, há um telão onde são mostradas as vidas anteriores daqueles que precisam ver seu passado para melhor compreenderem sua situação atual. À frente, há uma pequena mesa de vidro com uma jarra cheia de água e alguns copos transparentes.

No fundo da sala, há outra, menor, onde se encontram um altar e um oratório daqueles que vemos nas capelas, onde nos ajoelhamos para rezar. Do alto, uma luz violeta permanece acesa. O ambiente é perfumado e algumas flores, dispostas em jarras, decoram todo o recinto. Há cortinas brancas que suavizam o lugar.

Felipe senta-se na cadeira mais próxima a Daniel, enquanto Marques fica um pouco mais distante, ao lado de Nina.

— Então, Nina, o Lucas está assustado com as revelações de Raquel e as notícias relativas à morte de Fernando?

— Sim, Daniel, ele não consegue compreender a homossexualidade como motivo do desligamento. Ele ficou meio triste pelo fato de Fernando ter sido assassinado simplesmente por sua opção sexual. Além disso, a Raquel também foi morta pelo mesmo grupo, pois ela também era homossexual.

— A Terra vive um momento muito especial relacionado às opções sexuais dos encarnados. A sexualidade passa por transformações profundas, mas isso faz parte do processo evolutivo de todos. As opções sexuais estão se diversificando, e isso é bom.

— Como assim, Daniel?

— Felipe, lembre-se de que não cai uma folha de uma árvore sem que Ele permita.

— Sim, sabemos que tudo está interligado. Tudo está intrinsecamente ligado.

— Essa é a lei, Nina.

— Mas esse caso tem alguma particularidade, Daniel?

— Sim, Marques, esse caso tem suas particularidades.

— E você pode nos contar?

— Claro que sim, Nina.

— Agora?

— Façamos assim: tragam o Lucas e convidem alguns amigos para que, juntos, possamos conhecer essa linda história de superação e resgate. Pode ser?

— Claro, Daniel. Posso convidar quem eu quiser?

— Sim, Nina, você pode convidar quem quiser. Agende com o Marques um horário no salão nobre. Assim, aproveito para mostrar a todos vocês como Ele age para sempre auxiliar Seus amados filhos.

— Nossa, vai ser demais!

— Posso marcar para amanhã mesmo?

— Pode, sim, Marques. Agende para amanhã, no horário que achar melhor. Avise-me com antecedência. Estarei presente com muita alegria em meu coração para mostrar a todos vocês tudo o que está relacionado à Raquel, ao Fernando e à sexualidade dos espíritos na encarnação e fora dela.

— Nossa, Daniel, como fico feliz com sua bondade!

— Não se trata de bondade, Nina, e sim de amor.

— Verdade, é amor — diz Felipe.

— Então, nos encontraremos amanhã — diz Daniel, levantando-se da confortável cadeira.

— Sim, a que horas?

— Pode ser à tarde? Ou você prefere pela manhã, Daniel?

— Marques, confirme o horário em que eu possa ir até o salão principal. Dê uma olhada na minha agenda, organize tudo e me avise. Nina, obrigado por vir até aqui e me permitir passar a todos vocês esses ensinamentos. E, acima de tudo, revê-la me deixa muito feliz.

— Nós é que lhe agradecemos, Daniel, a oportunidade.

— Obrigado, Daniel.

— Então, nos encontraremos amanhã.

Todos se levantam, se abraçam e se despedem.

Daniel, sempre com alegria no coração, abraça Nina e Felipe, despedindo-se com um sorriso e muita alegria.

— Leve-os, Marques, por favor.

— Sim, Daniel. Obrigado.

Todos voltam ao trabalho, que não para em Amor e Caridade.

> *Tudo tem seu apogeu e seu declínio... É natural ser assim, todavia, quando tudo parece convergir para o que supomos o nada, eis que a vida ressurge, triunfante e bela!... Novas folhas, novas flores, na infinita bênção do recomeço!*

Chico Xavier.

A primeira lição

O salão está lotado. Aproximadamente 200 espíritos estão esperando a presença de Daniel. Na primeira fila estão sentados Nina, Felipe, Lucas, Rodrigo, Ernani, Mateus, Tália, Sheila, Soraya, Lola, Valéria, Porfírio, Candidiano, Lourdes e vários outros que trabalham diretamente com Nina e Felipe. O restante da assistência são espíritos que trabalham nas alas de adultos e nas demais salas de atendimento da Colônia Amor e Caridade.

Marques aproxima-se do centro do palco e anuncia a presença de Daniel.

— Senhoras e senhores, ótima tarde!

— Boa tarde! — respondem todos.

— É com imenso prazer que anuncio a nobre presença de nosso iluminado governador, o irmão Daniel!

Todos ficam em pé e aplaudem a entrada de Daniel, que se aproxima lentamente da parte central do palco com as mãos unidas como se estivesse agradecendo os aplausos.

— Obrigado! — diz Daniel.

Marques faz sinal para que todos se acalmem e se sentem.

Após todos se sentarem, Daniel toma a palavra e, calmamente, diz:

— Boa tarde a todos!

— Boa tarde! — respondem.

— A primeira lição que todos devemos aprender é agradecer. Agradecer por tudo e por todos. Agradecer pelas oportunidades e pelos desafios. Agradecer ao Criador os momentos de lazer e os momentos de aprendizado que só conseguiremos realizar quando preenchermos todas as lacunas de nossa alma com sabedoria e amor. O amor é único. O amor é o deleite do espírito. É por meio do amor que conquistamos a tão sonhada evolução espiritual. Não adianta achar que a caridade por si só é o suficiente para encontrar a paz e o descanso necessários a todos os espíritos que repousam na erraticidade. Sabemos que o descansar é o desprendimento da necessidade da utilização da matéria física, que tanto nos cansa e nos faz retroagir à nossa existência. É um fardo pesado, mas necessário ao equilíbrio e à evolução de todos.

"Agradecer é o primeiro ensinamento do Cristo Jesus, quando nos alerta nas bem-aventuranças e quando nos diz que o perdão é o instrumento de redenção da alma. 'Perdoai setenta vezes sete', dizia o nobre, querido e amado Irmão.

"Uma simples dúvida e angústia é o suficiente para que Ele permita a nós que passemos adiante os ensinamentos necessários ao processo evolutivo da humanidade. Para mim, bastaria responder com simplicidade o questionamento do querido irmão Lucas e tudo estaria esclarecido. Mas ordens superiores nos permitem trazer nas linhas desta jornada instruções que serviram de base para o caminhar necessário da humanidade.

"Agradeço ao Lucas pela determinação e insistência em esclarecer os fatos e buscar a verdade. Saibam que, quando se busca a verdade com sinceridade, ela faz questão de mostrar-se em sua plenitude. Essa é a determinação daquele que crê que Ele está acima de tudo e que tudo é gerenciado por nós, espíritos superiores, seus auxiliares em conhecimento, mas jamais superiores a qualquer que seja a alma criada pelo Criador. Somos todos frutos da mesma árvore. Alguns serviram de alimento para a eternidade; outros deixaram-se levar pelo orgulho e se tornaram frutos podres, mas que dentro de si carregam a semente que continuará a germinar pela eternidade. Nada se perde. Tudo se renova, tudo se cria, tudo se reinventa nas normas e imutáveis Leis da Criação.

"Somos nós o resultado de nossas escolhas, de nossa coragem, de nossas experiências e de nossos aprendizados. Aqueles que têm pouca fé se transformam em alvo fácil dos que buscam apagar a luz da verdade. Mas aqueles que creem com fervor são assistidos diretamente pela falange de espíritos mais puros dos universos de luz e pelos anjos da guarda enviados diretamente pelo Criador.

"Para tanto, meus nobres companheiros, basta crer que quem os criou os ama profundamente e toma conta de toda a Sua Criação a todo instante. Nenhum filho d'Ele está ou estará desassistido ou sozinho. Mesmo nas regiões mais difíceis ou remotas do Universo, haverá sempre um operário de luz para aquecer e iluminar almas sofridas e perdidas. Ele permite que tudo viva. Permite que nossas decisões de hoje sejam o único instrumento que nos levará para a luz, necessária a todos os Seus filhos, pois àqueles que muito precisam, muito lhes será dado; aqueles que de nada precisam terão que ser auxiliados, pois são os que vivem na escuridão. Sabemos que é dando que se recebe, é perdoando que se consegue o perdão e é amando que se consegue ser amado. É auxiliando que seremos auxiliados. Tudo se comunica. Tudo está ligado à Criação. Basta crer, amar e seguir, e tudo lhe será acrescentado.

"Para podermos iniciar nosso estudo de hoje, é necessário agradecermos este encontro e, principalmente, esta oportunidade. Quero convidá-los a uma oração. Vamos orar?"

— Sim, vamos, Daniel — respondem todos os presentes.

Daniel ajoelha-se, olha para o alto e começa a orar.

Todos se ajoelham, seguindo a orientação do mentor.

Oremos...

Senhor Deus, Criador de todas as coisas, Pai das horas de aflição, venho humildemente à Tua presença para suplicar-Te por todos os que, neste exato momento, se encontram em aflição. Senhor, nós, desta humilde colônia, pedimos a Ti que nos permita aprender um pouco mais com as nossas dores. Que iluminemos os que se encontram na escuridão. Que nossos corações continuem a amar-Te profundamente e que eu consiga cumprir a tarefa que Tu me impuseste. Agradecer é necessário. E nós queremos muito Te dizer que estamos felizes com os desafios ora apresentados à nossa missão e que jamais desistiremos da Tua obra, porque pobre é o espírito que não confia nas Tuas verdades e triste é viver sem a Tua presença.

Obrigado, Senhor, por este dia.

Em Tuas graças, depositamos nossa fé.

Frei Daniel

Após a prece proferida, todos se sentam e Daniel pede a Marques que prepare o telão localizado atrás do palco, como uma grande tela de cinema.

— Marques, por favor, peça que abaixem o telão. Pedirei que nos seja mostrada uma das vidas da família de Fernando e Raquel para podermos compreender melhor os desígnios de Deus e, assim, aprender com esses sofridos irmãos que tudo vale a pena quando o amor está depositado no coração.

— Sim, Daniel, com licença.

Todos permanecem em silêncio profundo.

Lentamente, a tela é abaixada e a intensidade das luzes é reduzida como se todos estivessem em um cinema. Então, a vida de Fernando e Raquel começa a ser mostrada.

> *A questão mais aflitiva para o espírito no Além é a consciência do tempo perdido.*

Chico Xavier.

A vida

Em uma maternidade de São Paulo...

— Querida, Deus nos deu dois filhos lindos: um menino, como sempre sonhei, e uma menina, como você sempre sonhou. Somos e fomos certamente abençoados.

— É, querido, não precisaremos brigar pelo carinho de nossos filhos. Temos um menino e uma menina como sempre sonhamos. E o melhor de tudo: gêmeos!

— Você está bem, querida?

— Sim, Roberto, só um pouco dolorida e cansada. Afinal, ter dois filhos de parto normal não é fácil. Mas, graças a Deus, tudo correu como esperado e em breve estaremos na nossa casa.

— Sim, querida, as crianças estão bem e sadias. Só dependemos agora de sua recuperação para podermos ir para casa. O médico me disse que nunca havia visto crianças tão saudáveis.

— Acredito que até depois de amanhã o médico me dará alta. Aí poderemos ir para casa. A mamãe deve estar ansiosa para ver as crianças e saber notícias minhas.

— Sim, ela estava aqui durante o parto. Depois foi para casa e já ligou aqui para o hospital para saber notícias suas.

— Você falou com ela, Roberto?

— Não, querida, a enfermeira foi quem me disse que ela ligou para cá muito preocupada.

— Será que ela está bem?

— Sim, Marly, não se preocupe. Sua mãe só está ansiosa para saber sobre as crianças. Afinal, ela estava até mais ansiosa que nós dois juntos.

— Ela foi quem me acompanhou durante toda a gestação. É natural estar muito preocupada e ansiosa. A mamãe é assim.

— Sim, querida, compreendo. Como você sabe, tenho pouco tempo para lhe dedicar. Mas prometo que agora reduzirei um pouco as minhas horas extras e acompanharei mais de perto o crescimento dos meus lindos filhos.

— Espero, né, Roberto. Nós já conversamos sobre isso. Agora precisarei da sua ajuda.

— Eu sei, querida, e prometo que não vou decepcioná-la.

— Espero, querido. Espero...

Roberto se aproxima de Marly e a beija suavemente na face.

— Agora descanse, querida. Aproveite que eles já mamaram e descanse um pouco.

— Vou descansar, sim, Roberto. Estou mesmo muito cansada.

— Vou lá fora. Descanse, que depois eu volto.

— Vai fumar, não é?

— Infelizmente, esse é o meu maior prazer, além, é claro, da minha cervejinha nos fins de semana com os meus amigos.

— O vício de fumar ainda vai lhe causar lesões sérias, Roberto. Pare de fumar enquanto você ainda é jovem, homem. Saiba que, a partir de hoje, você não vai mais poder fumar em casa. Não quero os meus filhos respirando esse veneno! E, se você parasse de beber, poderíamos economizar esse dinheirinho para comprar nossa casa própria e, quem sabe, sairíamos do aluguel.

— Pode deixar, querida. A partir do momento em que as crianças estiverem em casa, eu passo a fumar no quintal. Fique tranquila.

— Espero.

— Agora descanse, Marly. Descanse...

Roberto sai do hospital para fumar enquanto Marly descansa.

No dia seguinte, logo pela manhã, o casal é visitado pelo doutor Norberto, médico responsável pelo parto de Marly.

— Bom dia, Marly.

— Bom dia, doutor.

— Bom dia, doutor — diz Roberto.

— Vejo que a senhora já se encontra bem. Vim me despedir e lhe passar algumas recomendações.

— Ah, doutor, que bom!

— Vamos poder ir para casa, doutor?

— Sim, Roberto. A Marly e as crianças estão de alta. Amanhã bem cedo vocês podem retornar ao seu lar e cuidar dos gêmeos.

— Nossa, que bom, doutor Norberto! Quero lhe agradecer a atenção e o carinho. Muito obrigada por tudo, doutor!

— Marly, você não tem que agradecer. Agora é descansar, repousar e amamentar muito bem seus dois anjinhos.

— Obrigado, doutor — diz Roberto.

Simone, a enfermeira, entra na sala trazendo nos braços os dois bebês. Fernando e Raquel estão dormindo no colo da jovem enfermeira.

— Olhe, querida, os nossos bebês — diz Roberto.

— Obrigada, doutora, pela atenção e carinho com os nossos filhos — diz Marly, agradecendo à enfermeira Simone.

— Não tem de que, senhora. E, olhe, não sou doutora. Sou uma simples enfermeira.

— Desculpe-me, Simone.

— Não se preocupe, senhora. As crianças já estão de banho tomado e limpinhas. Agora é só você cuidar delas e tudo ficará bem — diz Simone, colocando os bebês ao lado de Marly.

— Obrigada, querida.

— Bom, aqui terminamos esta fase. Daqui a 15 dias, voltem para me visitar. Quero ver se tudo está bem com você, Marly — diz o doutor Norberto.

— Pode deixar, doutor. Daqui a 15 dias, voltaremos para o senhor vê-la.

— Ok. Então, amanhã pela manhã, vocês podem ir para casa.

— Obrigada, doutor.

— Vou deixá-los a sós para que vocês possam curtir um pouco as crianças. Mais tarde, volto para levá-las para o berçário.

— Obrigada, Simone.

— Venha, querida, vamos aproveitar e ficar mais pertinho dos nossos filhos.

No dia seguinte, Marly e Roberto deixam o hospital felizes, com seus filhos no colo.

Orgulhoso, Roberto carrega o menino Fernando enquanto Marly cuida com muito zelo de Raquel.

Após algumas horas, eles finalmente chegam em casa, onde Eleonor aguarda ansiosa para abraçar sua filha e auxiliá-la nos cuidados com seus netos.

Tudo correu bem, como planejado pela família.

Algum tempo depois

Sete anos depois...

Marly está em uma pequena e agradável praça próxima à sua casa. Todos os dias, ela leva as crianças a esse local para brincarem. Raquel e Fernando são as sensações do lugar. Gêmeos, eles chamam a atenção de todos por onde passam. Orgulhosamente, Marly procura vesti-los com roupas iguais. Afinal, o menino e a menina são realmente muito bonitos e parecidos.

Eleonor, atendendo ao chamado da filha, vai à praça para conversar com Marly. Algo não está bem. Eleonor é uma avó muito presente e percebe que Marly está infeliz.

Eleonor chega ao lugar.

— Oi, filha.

— Oi, mamãe.

— Cadê as crianças?

— Estão ali — diz Marly, apontando para um parquinho cercado com areia, onde as crianças se divertem fazendo pequenos castelos.

— Que lindo! E você, minha filha, como está? Você me disse que está angustiada... O que houve?

— Ah, mamãe, não sei o que está acontecendo. Estou muito triste.

— Mas o que houve, Marly?

— Mamãe, fui chamada na creche das crianças esta semana. A diretora recomendou que eu procurasse uma psicóloga para o Fernando.

— Meu Deus! Mas o que houve?

— Ela me disse que está tendo uns problemas com ele. Disse com muito carinho e leveza que o Fernando é muito afeminado e que até o banho, que normalmente as crianças tomam em grupo, está impedida de fazer com o Fernando. Ela disse que ele não se interessa pelas atividades masculinas e vive perturbando as meninas, pegando as bonecas... Enfim, ela acha que o Fernando é muito afeminado.

— Meu Deus, claro que não! Crianças são assim — diz Eleonor.

— Foi isso que argumentei com ela, mas ela diz ser experiente e que o melhor a fazer é procurar um tratamento para ele. Disse que, nessa idade, é recomendado um tratamento.

— Vou falar com essa mulher — diz Eleonor, irritada.

— Não, mamãe, ela foi muito gentil comigo. Ela não acusou o Fernando de nada. Ela só me orientou, apenas isso. E quer saber, mamãe? Ouço uma voz falar dentro de mim que o Fernando é diferente. Ele tem comportamento de menina. Até lá em casa, evito que o Roberto veja as coisas que o Fernando faz e fala. Vivo escondendo-o das pessoas e dos brinquedos da irmã. Tenho vergonha.

— Essa diretora não pode achar que o meu neto é afeminado. E isso certamente é coisa da sua cabeça. Você não tem experiência com crianças, minha filha.

— Mamãe, pelo amor de Deus, não é nada disso! Eu também estou tendo muitas dificuldades com o Fernando, como estou tentando lhe dizer. Você não me escuta.

— Como assim? Quais dificuldades? Conte-me.

— Ele não quer brincar com coisas de menino em casa e vive vestindo as roupas da Raquel. Um dia desses, peguei-o passando batom e se dizendo menina. Ele me pede para pintar suas unhas. Digo que isso não é coisa de menino. Ele vive cantando e diz que quer desfilar. Insiste que será cantora, daí pede para vestir as roupas da Raquel. Eu entro em desespero. Não sei o que fazer.

— E você nunca me contou nada disso... — diz Eleonor, irritada.

— Calma, mamãe! Eu nunca lhe falei nada porque achava que isso era uma fase dele. Eu achava que isso iria passar, que era coisa da idade etc.

— Mas não podemos dar bobeira com essas coisas, filha.

— Mamãe, se o Fernando optar por ser homossexual, nada vai mudar em meu coração. Ele é meu filho e eu o amo profundamente. Outro dia, ele me disse que era uma menina e que estava no corpo errado. Fiquei supernervosa. Depois, ele se aproximou de mim e começou a acariciar meu rosto, dizendo para eu não ficar nervosa, que tudo se ajeitaria. Fico muito assustada. Ele é apenas uma criança, mas tem uma maturidade que me surpreende.

— Nossa! — diz Eleonor.

— Ele é muito carinhoso. Tenho fé que tudo isso passará. Acho que o fato de serem gêmeos fez alguma mudança dentro dessas crianças. Ele diz que está no corpo errado, e a Raquel não gosta de brinquedos de menina. Estou ficando louca. Parece que o Fernando nasceu no corpo da Raquel e ela nasceu no corpo dele. Sei lá, é uma loucura que eu não consigo entender.

— Como assim?

— A Raquel não é chegada a brincadeiras de menina. Ela gosta de futebol, andar de carro, enfim, coisas de menino. Mas converso com ela, e ela me diz que está tudo bem. Diz para que eu me acalme, pois tudo ficará bem. Eu sinceramente não estou preocupada com a sexualidade dos meus filhos. O que me deixa preocupada é o preconceito. Se realmente eles escolherem ser homossexuais, sofrerão muito, pois as pessoas são muito preconceituosas. O Roberto, então, nem se fala. Acho que enfarta se isso acontecer.

— Eu sei, filha, e penso como você. Mas, falando nisso, o que o Roberto acha disso tudo?

— O Roberto mal vê essas crianças, mamãe. Ele sai muito cedo para trabalhar e, quando chega do trabalho, sempre bêbado, as crianças já estão dormindo. Nos fins de semana, se mistura com os amigos e só faz beber. Nunca trocou uma fralda dessas crianças.

— Eu não lhe falei que ele não era um bom homem para você?

— A vida é assim, mamãe. Apesar de todos os defeitos, é ele quem põe alimento em casa. Mal ou bem, nada nos falta.

— A vida é sua. Você escolheu assim.

— Sim, mamãe. Eu só pedi para você vir aqui porque estou com essa angústia em meu coração. Tenho vontade de chorar. Eu precisava desabafar, só isso.

Carinhosamente, Eleonor abraça a filha.

— Estou aqui, filha. Fique calma! Quer que eu procure uma psicóloga para o Fernando? Tenho uma amiga. Se você permitir, posso falar com ela.

— Ah, mamãe, você faz isso por mim?

— Claro, Marly! Sou sua mãe. Lembre-se sempre disso.

— Obrigada, mãe!

Marly abraça carinhosamente Eleonor enquanto Fernando e Raquel se aproximam.

— Só tem um problema...

— Qual, mamãe?

— A minha amiga é voluntária em um centro espírita, naquele que lhe falei, onde tenho frequentado. Ela é uma psicóloga muito famosa e cara também, mas posso pedir para atender o Fernando lá no centro espírita. Assim, ela o atenderá de graça e você não gastará nada.

— Ah, mamãe, você sabe que não gosto muito dessas coisas de Espiritismo. Eu não acredito nisso.

— Filha, eu também era como você. Eu também tinha dúvidas e muito preconceito com relação ao Espiritismo, até o dia em que descobri esse centro espírita perto da minha casa. Conheci pessoas sinceras e verdadeiras, pessoas que só querem ajudar. Sabe o que eles me ensinaram lá?

— O que, mamãe?

— Eles me mostraram que "a vida não se resume a esta vida". E eu acredito muito nisso. Acredito que Deus tem muita coisa para nos dar e que, após a vida aqui na Terra, nós seremos muito felizes nas cidades espirituais.

— Está bem, mamãe. Se você confia, pode levar o Fernando para a sua amiga atendê-lo. Será que ela pode atender o Fernando e a Raquel juntos?

— Claro que sim. Eu peço a ela para atender ambos. Que bom, minha filha! Façamos assim: ligarei para ela assim que chegar em casa e pedirei para que marque o atendimento. Depois lhe aviso. Daí iremos juntas conversar com ela.

— Obrigada mais uma vez, mamãe. Mas eu não quero ir ao centro espírita. Você pode levar as crianças, sem problemas.

— Preconceito bobo o seu. Mas pode deixar. Levarei as crianças para a doutora atender. Olhe, eles estão chegando.

Fernando e Raquel, ao perceberem a presença de Eleonor, saem correndo ao encontro da avó, que os acolhe carinhosamente.

— Oi, vovó! — diz Fernando, pulando no colo de Eleonor.

— Oi, meus amores! — diz Eleonor, abraçando os netos.

Fernando e Raquel passam aquela tarde de outono abraçados, felizes e sorridentes ao lado de Eleonor e Marly.

Marly se acalma e fica feliz. Ela está esperançosa de que a psicóloga ajudará a resolver a questão das crianças.

Quinze anos

Fernando chega ao centro espírita para mais um dia de atendimento com Mirna.

— Bom dia, doutora!

— Bom dia, Fernando! Como você tem passado?

— Bem! Muito bem, e a senhora?

— Tudo bem. Sente-se. Cadê a Raquel?

— Mirna, já estou me tratando com você há bastante tempo, não é? A Raquel disse que só virá no próximo mês. Está enrolada com as provas na escola.

— Sim, Fernando, desde que você, aliás, vocês tinham 7 anos, se não me engano.

— Venho frequentando o centro espírita desde então. Participo da evangelização infantil e das reuniões de passe e, ainda por cima, assisto às palestras para as quais sou convidado. A Raquel, como você sabe, é a minha fiel escudeira — diz Fernando, rindo.

— Sim, Fernando, e me sinto muito orgulhosa com seus avanços na Doutrina Espírita. Vocês estão indo muito bem.

— É, Mirna, mas tem sido uma vida de muito sofrimento para mim. Não consigo ser feliz. Os olhares, os comentários e a discriminação me fazem muito mal. Sou uma pessoa muito infeliz. Às vezes, tenho vontade de desistir de tudo. Tenho vontade de sumir.

— Explique para mim, Fernando.

— Como você sabe perfeitamente, Mirna, eu não sou feliz. Sinto-me aprisionado em um corpo que não me pertence. Trago em meu coração uma enorme tristeza. Mas, ao mesmo tempo, não quero ser a desgraça da família, como o meu pai diz.

— Fernando, já conversei com sua avó sobre sua condição e opção sexual. Expliquei a ela o quanto você precisa de apoio e carinho, principalmente dentro da sua casa.

— Eu não vejo a felicidade na minha frente. Meu pai já me espancou várias vezes. Ele me maltrata muito. Ele me bate e me xinga. Diz que sou a desgraça de sua vida e vive bêbado, jogado pelas ruas do bairro. Sinto-me culpado de tudo e não estou conseguindo superar isso. Acho que realmente sou a desgraça da família.

— Como já lhe expliquei, você não é culpado de ter nascido assim. Você não é um doente. E o seu pai um dia entenderá que ninguém é culpado e que vocês precisam se aceitar como são e buscar a felicidade de uma família.

— Mirna, eu não consigo mais enganar as pessoas. Dentro de mim há uma revolta muito grande. Se eu não parar de fingir ser aquilo que não sou, certamente nunca encontrarei a felicidade.

— E foi exatamente isso que conversei com a sua avó. Como você sabe, a sua mãe não é muito de vir à casa espírita e, muito menos, de me procurar para conversarmos a seu respeito. E certamente o seu problema não é questão de tratamento espiritual. A casa espírita é o lugar onde você encontrará apoio e amor. Estamos aqui para amá-lo, Fernando. Se a sua mãe pelo menos frequentasse as reuniões públicas, se ela viesse aqui, talvez pudéssemos ajudar toda a sua família.

— É o jeito da minha mãe. Ela é ressabiada com o Espiritismo. Eu mesmo já conversei e até a convidei diversas vezes para vir comigo à casa espírita. O meu pai diz que o meu jeito afeminado é devido ao Espiritismo. Ele grita comigo, dizendo que o diabo tomou conta do meu corpo e me faz ser assim. Pobre ignorante! Eu o compreendo, mas a minha vida é uma vida de tristezas e dor.

— Sim, eu não estou reclamando, Fernando. Só acho que precisamos de uma reunião entre todos os envolvidos para que eu possa explicar para seus pais sua condição e opção. Explicar para eles que você não está doente. Explicar que ser homossexual não é ruim, que ser homossexual não é uma doença e que você só encontrará a felicidade quando todos da sua família o aceitarem como você é.

— Você quer que eu fale com a minha mãe sobre isso? Posso tentar de novo.

— Sim, Fernando. Eu já mandei diversos recados por intermédio de sua avó para marcarmos esse encontro, mas sua mãe vive inventando desculpas. Acho sinceramente que, no fundo, ela não quer ouvir o que tenho para lhe dizer.

— A minha mãe é a melhor mãe do mundo. Mas, para esse assunto, ela realmente é uma pessoa fraca e fechada. Acho que ela nunca virá ao centro espírita. Lá em casa, ela evita falar dessas coisas. No fundo, ela tem medo da reação do meu pai quando souber que ela esteve aqui.

— Compreendo. Mas, quanto antes resolvermos essa questão, menor será o sofrimento, se é que isso é sofrimento para alguém.

— Preciso que tudo seja revelado aos meus pais. Converso muito com a Raquel, e ela acha que a opção sexual é uma coisa que só nós mesmos podemos resolver.

— Ela tem razão.

— A minha irmã é a minha melhor amiga e conselheira.

— Certamente ela é e será sempre a sua melhor companheira, Fernando. Como você está na escola?

— Tirando a implicância dos meninos e o preconceito de alguns, tudo bem. As minhas notas são excelentes.

— Você não tem tido mais problemas com aquele menino, especificamente falando?

— Não. Ele jamais compreenderá o amor que sinto por ele. Eu já decidi que, se ele não quer mais, nada posso fazer.

— Isso, Fernando. Você não pode impor seus sentimentos às pessoas. Ninguém é obrigado a ficar ou amar alguém.

— Essa questão já está resolvida dentro de mim. Agora quero me dedicar ainda mais aos estudos e, se Deus permitir, realizar o meu sonho.

— E qual é o seu sonho?

— Terminar os estudos em algum país fora do Brasil.

— Ah, aquele assunto que você havia conversado comigo?

— Sim, aquele mesmo! Aqui no Brasil, viver com a minha condição sexual é e será sempre um problema. Existem países em que ser homossexual é coisa normal e eu conseguirei viver bem com as minhas escolhas.

— Com certeza! Se você continuar a tirar as notas que tira na escola, dificilmente uma escola, mesmo que fora do Brasil, rejeitará um aluno como você.

— Obrigado, Mirna. Sabe, vendo o sofrimento da minha mãe, tudo o que ela passou e passa... O meu pai, um alcoólatra que tanto a maltrata... Preciso vencer na vida para poder tirar o sofrimento da vida dela e da minha irmã. A minha avó, então, nem se fala...

— Você vai conseguir, Fernando. Você vai conseguir...

— É por isso que meto a cara nos estudos. Tenho certeza de que conquistarei meu espaço, mesmo que seja distante daqueles que eu mais amo.

— Converse com sua mãe, sua irmã e sua avó. Convença-as a vir com você. Basta ligar para mim e marcaremos o dia e a hora. Será de grande valia esse nosso encontro. Seu pai, eu nem preciso falar... Se esse milagre fosse possível, eu rogaria a Deus para que ele viesse à casa espírita para ser tratado e, quem sabe, modificar suas escolhas.

— Na verdade, não escolhi ser assim. Nasci assim. Às vezes sinto nojo de tocar em mim mesmo. Quando preciso ir ao banheiro ou até mesmo no banho, sofro muito. Sinto-me aprisionado num corpo de homem quando o que existe dentro de mim é uma mulher. É uma luta constante, que me faz muito mal. Esses conflitos sentimentais me deixam triste comigo mesmo.

— Perdoe-me, Fernando, eu sei que você não escolheu ser assim. Você nasceu assim, e isso é verdade. Vocês sofrem muito, e essa rejeição do seu corpo é natural. Tenha calma. O tempo tem sempre as respostas precisas para tudo o que vivemos.

— Sim, eu nasci uma mulher num corpo de homem. Vai saber por quê!

— A Doutrina Espírita tem a resposta para isso — diz Mirna.

— Eu sei. Já sou um *especialista* nesse assunto — diz ele, rindo.

— Que bom que você sabe! — diz Mirna.

— Bom, doutora, o papo está bom, mas tenho que ir para a escola. Vou me encontrar com a Raquel no caminho.

— Vá com Deus, Fernando. Nós nos vemos na próxima semana.

— Mais tarde, voltarei para auxiliar no atendimento fraterno. Daí conversaremos mais um pouco. Obrigado por tudo.

— Eu não estarei aqui. Atenderei hoje em meu consultório e tenho pacientes até tarde. — Fernando se levanta e beija suavemente a face de Mirna, despedindo-se dela. — Tchau, querido.

— Tchau, Mirna.

Todos no centro espírita têm respeito e admiração por Fernando. Jovem e inteligente, ele é muito dedicado ao auxílio de todos que buscam ajuda naquele humilde centro espírita.

Fernando caminha pela avenida principal, indo ao encontro de Raquel, que o espera em uma esquina próxima à escola.

Alguns comentam a passagem do menino pela rua, xingando-o e ofendendo-o com palavras de baixo calão.

Nada muda a postura do jovem rapaz, que, após colocar seus fones de ouvido, caminha rapidamente escutando suas músicas preferidas.

Após algum tempo, ele finalmente chega ao encontro da irmã.

— Oi, Raquel!

— Caramba, você me deixou aqui esperando! — diz Raquel.

— Eu estava com a Mirna na casa espírita. Esqueceu que hoje eu tinha consulta?

83

— Hoje era dia do seu tratamento? Caraca, esqueci mesmo...

— Sim, mas não demorei muito com ela. Fui breve. Ela perguntou por você.

— E o que você disse?

— Na verdade, eu falei para ela das provas que você tem que fazer na escola.

— Sinceramente, acho que você vai viver pelo resto da vida nesse tratamento com a Mirna.

— Eu a amo. Ela é muito especial para mim.

— Sei disso. Venha, vamos para a escola. Já estamos atrasados.

— Eu até posso perder a minha primeira aula.

— Você pode, seu *nerd*, mas eu continuo devendo notas em algumas matérias.

— Então, vamos acelerar o passo.

Fernando se sente mais seguro caminhando ao lado de Raquel, mas as provocações aumentam na rua.

Os olhares e as palavras de ofensa não mexem mais com Fernando, que segue determinado.

Raquel, ao seu lado, já se acostumou com o preconceito que ambos sofrem em quase todos os lugares que frequentam.

— Não dê ouvidos a esses idiotas, Fernando.

— Fique tranquila. Eles não me ofendem.

Assim, eles se dirigem rapidamente à escola.

> "O tempo de Deus é eterno. O tempo de Deus já existia antes de qualquer coisa, antes mesmo da existência."
>
> *Osmar Barbosa*

O limite

Após um dia exaustivo, Fernando e Raquel voltam para casa. Chegam na hora do jantar. Marly já deixou tudo preparado sobre o fogão. Cobertas com um pano de prato e um bilhete, as panelas ainda aquecidas aguardam a chegada de Fernando e Raquel para o jantar.

— Olhe, Fernando, a mamãe já deixou tudo pronto.

— Onde será que a mamãe se meteu, meu Deus?

— Não sei, mas, olhe, tem um bilhete aqui.

— Leia — diz Fernando.

— "Fernando e Raquel, tivemos que sair para resolver uma questão com sua avó. O jantar está pronto. Após jantarem, lavem a louça. Beijinhos, mamãe." Onde será que a mamãe se meteu? — pergunta Raquel.

— Não faço a menor ideia.

— Venha, Fernando, vamos jantar.

Então, Raquel prepara o prato do irmão e o seu, e os dois jantam alegremente. Após o jantar, Raquel está lavando a louça na pia e Fernando está sentado à mesa conversando alegremente com ela quando são surpreendidos com a chegada de Roberto, que, cambaleando, encosta na porta da cozinha e diz:

— Aí estão um transviado e uma perdida.

— Que isso, papai! — diz Raquel.

— Que horror! — diz Fernando.

— Hoje vocês não me escapam — diz Roberto, segurando um pedaço de madeira com a mão direita.

Fernando instintivamente protege Raquel do agressor, que se aproxima furioso e começa a desferir golpes no jovem rapaz.

A pancadaria não tem fim. Raquel sai correndo para a rua para pedir socorro, mas não há ninguém disposto a ajudar.

Raquel implora por ajuda aos vizinhos.

Após algum tempo, Roberto sai todo ensanguentado para a rua onde Raquel se encontra. Ele se aproxima da filha, que não consegue se mexer e fica parada a olhar para o pai, assustada com tanta violência.

— Agora vá lá salvar seu irmãozinho.

Roberto sai a caminhar pela rua, deixando Raquel e Fernando para trás.

— Meu Deus! — diz Raquel, correndo em direção à sua casa.

Uma vizinha, de nome Sandra, se aproxima e tenta auxiliar a menina.

— Vou ajudá-la, Raquel. Cadê a sua mãe?

— Eu não sei. Ela não estava em casa quando chegamos. Venha, me ajude a achar o meu irmão, por favor!

Raquel entra na cozinha, que está coberta de sangue, mas não encontra Fernando. Auxiliada e amparada por Sandra, ela vasculha toda a casa à procura do jovem rapaz. O silêncio é grande.

— Fernando! Fernando! Onde está você? — grita Raquel.

— Olhe, ele está ali! — diz Sandra.

— Meu Deus!

Fernando está caído no pequeno banheiro próximo aos quartos, desmaiado.

Raquel corre para socorrer o irmão.

— Sandra, por favor, arrume alguém para levar o meu irmão para o hospital!

— Vou lá fora tentar conseguir alguém para nos ajudar. Vou chamar uma ambulância — diz Sandra, muito preocupada com o lastimável estado de Fernando.

Ao sair para a rua, Sandra percebe a chegada de Marly e Eleonor.

Ao se aproximarem da casa e verem uma pequena multidão em frente ao seu portão, Marly e Eleonor se desesperam e correm em direção à casa.

— Mamãe, o que será que aquela gente toda está fazendo em frente à minha casa?

— Meu Deus, o que será que está acontecendo? Venha, Marly, vamos correr! — diz Eleonor, assustada.

Assim, elas aceleram o passo para chegar à casa e ver o que realmente está acontecendo.

A cena é terrível. Os vizinhos tentam acordar Fernando, que permanece desmaiado, com vários cortes na cabeça e hematomas espalhados pelo rosto. Muito sangue está espalhado por toda a casa. Parece que ele tentava fugir das pancadas correndo entre os cômodos da pequena residência.

Sandra, mais experiente, cobre a cabeça de Fernando com toalhas molhadas enquanto esperam pelo socorro já solicitado.

Marly entra desesperada à procura dos filhos. Logo ao chegar à sala, ela não resiste e desaba ao ver seu amado filho sofrendo.

Fernando respira com muita dificuldade.

— A ambulância já está chegando — grita Adalberto, um vizinho.

A sirene é ouvida por todos. Logo, um médico socorrista adentra a casa e corre para socorrer o rapaz.

Marly é acudida por Eleonor, que, em choque, não sabe o que fazer.

— O que houve? — pergunta o médico.

— O meu pai bateu nele — diz Raquel.

— E onde está o seu pai?

— Ele fugiu.

— Com o que ele bateu no menino?

— Com um pedaço de pau, doutor.

— Você é irmã dele?

— Sim.

— E onde está a sua mãe?

— Eu não sei.

— Ela está aqui, doutor. Ela também precisa de ajuda — grita Sandra da cozinha, onde está ajudando Eleonor a acudir Marly, que desmaiou.

— Eu já vou aí. Deixe-me examinar o menino primeiro. Afaste-se, menina, por favor! — diz Leonardo, o médico socorrista. Ao ver que Raquel não quer desgrudar do irmão, ele insiste: — Afaste-se, menina. Pode deixar, que vou cuidar dele.

Raquel deixa o irmão e vai até a cozinha procurar pela mãe e pela avó.

— O que houve, Raquel? — pergunta Eleonor.

— Meu pai espancou o Fernando com um pedaço de pau.

— Mas o que foi que o Fernando fez?

— Nada. Nós havíamos acabado de jantar, daí ele chegou com um pedaço de pau na mão e começou a bater no Fernando, que me protegeu para que eu também não fosse vítima dele. Fiquei com muito medo e corri para pedir auxílio na rua.

— Mas por que, meu Deus?

— Não sei, vó.

Marly acorda após massagearem seu peito e cheirar um algodão embebido em éter, dado pela enfermeira que auxilia o médico socorrista.

Marly recobra a consciência e, ao ver a filha a seu lado, pergunta:

— Por que ele fez isso com vocês, minha filha?

— Eu não sei. Ele chegou cambaleando, acho que bêbado, com um pedaço de pau na mão. Ele nos xingou e começou a nos bater. Parecia um louco querendo nos matar.

— Meu Deus, o que deu no Roberto?

— Fique calma, mamãe. O médico já está cuidando do Fernando. Ele vai ficar bem.

— Meu Deus, por quê? Por que, meu Deus? Meu filho querido!

— Calma, dona — diz Leonardo, aproximando-se. — Seu filho levou muitas pancadas na cabeça. Vou levá-lo para o hospital para fazer um raio-x e, se necessário for, uma tomografia computadorizada para ver se há alguma consequência mais grave. As senhoras precisam me acompanhar até o hospital, por gentileza.

— Sim, doutor, nós vamos.

— Levante, mamãe. Vamos com o médico para o hospital.

— Dê-me forças, Senhor — diz Marly, levantando-se com muita dificuldade.

— Venha, mamãe.

Os vizinhos providenciam um carro para levá-las. Assim, se encaminham para o hospital, seguindo a ambulância que leva o menino Fernando, ainda desacordado.

> *Esqueça o acusador; ele não conhece o seu caso desde o princípio. Perdoe ao mau; a vida se encarregará dele.*

Chico Xavier

A vida por um fio

Marly está nervosa e não para de chorar. Raquel, sentada ao lado da mãe, tenta consolá-la. Eleonor se encontra encostada no balcão da recepção, ansiosa por notícias de Fernando.

Após algum tempo, Leonardo se aproxima do grupo, tendo às mãos uma prancheta onde traz anotadas algumas coisas que precisa explicar para Marly.

Todas correm ao seu encontro, sedentas por notícias.

— Doutor, como está o meu filho?

Raquel e Eleonor se aproximam do médico.

— Senhora, o seu filho está bem. Apesar de as pancadas terem sido desferidas principalmente na cabeça, ele está bem. Os exames apontam algumas lesões, mas nada sério. A tomografia pôde me mostrar que não houve nenhuma lesão séria. Mas, por via das dúvidas, vou mantê-lo sedado e peço que me procurem amanhã logo pela manhã. Chego ao hospital por volta das 7h. Procurem-me às 8h, por favor. Espero que corra tudo bem durante a noite. Vou mantê-lo em observação. Amanhã, teremos um quadro mais preciso de tudo o que ele passou hoje.

— Ele não vai morrer, não é, doutor?

— Não, menina. Esse risco ele não corre. Só vou mantê-lo aqui para poder observá-lo melhor. Só isso.

Marly pega as mãos de Leonardo e, acariciando-as, pede:

— Doutor, o senhor não está mentindo, está?

— Não, minha senhora. Nós, médicos, não podemos mentir.

— Ainda bem — diz Eleonor, intercedendo.

— Agora sugiro que as senhoras voltem para casa e descansem. Amanhã bem cedinho, venham para cá para reavaliarmos o menino. Vou mantê-lo na UTI, e lá ninguém pode ficar com ele. Voltem amanhã.

— Obrigada, doutor.

— Doutor, eu não posso vê-lo agora? Dar só uma olhadinha?

— Não, senhorita. Seu irmão está na UTI e tem que ficar lá por hoje, como já lhes expliquei.

— Mas quem fica na UTI é porque está em estado grave.

— Não necessariamente, senhora. Vou mantê-lo lá por medida de segurança. Afinal, ele levou muitas pancadas na cabeça. O procedimento é esse, senhoras — afirma Leonardo.

— Maldito Roberto!

— Mamãe! — adverte Marly.

— Maldito, sim! E você ainda fica defendendo esse monstro.

— Não, mamãe, eu não estou defendendo o Roberto, mas provavelmente essas crianças falaram alguma coisa que mexeu muito com ele. Ele nunca encostou a mão nos filhos.

— Mentira, mamãe. Por diversas vezes, o papai bateu no Fernando. Eu sabia que um dia ele iria se exceder — diz Raquel.

— Falando nisso, senhora, o policial de plantão do hospital quer falar com a senhora. Perdoe-me, mas todos os pacientes que chegam ao hospital são assistidos pelos policiais, que querem saber o motivo da entrada deles aqui.

— E o que o senhor falou para o policial, doutor?

— A verdade, senhora. A verdade — diz o médico. — Lembrem-se, médicos não podem falar mentiras.

— Meu Deus, agora o Roberto está ferrado!

— Bom, se me permitem, preciso olhar outros pacientes — diz Leonardo, estendendo a mão e despedindo-se de Marly e Eleonor.

— Vamos, Marly. Vamos lá falar com o policial.

— Não, mamãe, não vou falar com policial nenhum sem antes ouvir o Roberto. Vamos para casa sem que ele nos veja.

Assim, Marly, Eleonor e Raquel deixam o hospital pela porta dos fundos para não serem percebidas pelo policial de plantão.

Naquela noite, Roberto não volta para casa. Marly mal consegue dormir, preocupada com o filho internado no hospital. Eleonor dorme no quarto de Raquel para que a menina não durma sozinha, por ter medo de Roberto chegar e tentar espancá-la novamente.

Logo cedo, todas acordam e seguem novamente para o hospital. Marly está nervosa e triste, mas, ao mesmo tempo, preocupada com Roberto, que não dormiu em casa e não deu notícias.

Logo elas chegam ao hospital, sendo recebidas pelo doutor Leonardo.

— Bom dia, senhoras.

— Bom dia, doutor. Como está o meu filho?

— Ele está ótimo. Muito inchado, mas totalmente fora de perigo.

— Podemos vê-lo?

— Sim, venham comigo.

Assim, Leonardo leva Marly, Raquel e Eleonor pelo longo corredor que dá acesso à enfermaria, onde se encontra Fernando, que já havia saído da UTI.

Ao ver o filho, Marly corre para pegar sua mão e senta-se ao lado dele.

Fernando percebe a presença dos familiares e da mãe e se emociona, deixando correr uma lágrima, que lhe molha a face.

— Não chore, meu filho querido. Não chore...

Raquel se aproxima pelo outro lado da cama e segura a mão de Fernando, que, emocionado, chora compulsivamente. Nesse momento especial que vive aquela família, todos da colônia percebem a chegada ao ambiente de um espírito iluminado, que estende as mãos sobre todos, transmitindo-lhes paz e serenidade. Nina fica emocionada com a cena e repousa sua cabeça no ombro de Felipe, sentindo seus olhos ficarem marejados. Daniel percebe que todos estão emocionados e interrompe a cena.

As luzes se elevam e Daniel se põe de pé para falar. Todos ficam atentos.

— Peço licença aos nobres irmãos, mas esse é o momento em que tudo começa a mudar para Fernando, Raquel, Roberto e Marly. Esse nobre e iluminado irmão que agora chegou ao hospital é o mentor espiritual desse jovem. Ele será o responsável desse dia em diante por acompanhar todos os acontecimentos e seguir orientando Fernando e seus familiares para que tudo corra conforme as determinações do mundo espiritual.

"Só quero mostrar a todos vocês que, em nenhum momento de suas vidas, vocês estarão sozinhos. Às vezes, o que vocês acham que é uma desgraça, é na verdade um mecanismo usado por Ele para um recomeço, uma nova oportunidade, em que tudo se ajusta conforme a necessidade do aprendizado ou da missão a que você se propôs atravessar. Nada está solto no Universo. Tudo está interligado. Tudo está acertado para o aproveitamento espiritual. Evoluir é o destino de todos os espíritos.

"Agora, observemos o que todos enfrentaram. Vamos ver Fernando e Raquel."

Após a fala do sábio Daniel, as luzes são novamente reduzidas e todos os presentes voltam sua atenção para a tela à frente.

A cena ocorre no hospital...

— Meu filho, o que você falou para o seu pai?

— Mamãe, eu não falei nada. Ele simplesmente entrou em casa com um pedaço de pau na mão, nos ofendendo e nos xingando com palavrões. Ele queria espancar a Raquel. Eu não deixei, e ele me fez isso. Ele me ofendeu e me xingou, me chamando de afeminado, desgraçado e tudo aquilo a que já estamos acostumados.

— Foi isso mesmo, mamãe — diz Raquel.

— Ele estava bêbado, Fernando?

— Acho que sim. Afinal, ele nunca esteve em casa. O papai nunca participou de nada da minha vida. Sempre que eu o encontro, ele está bêbado — diz o rapaz.

— Eu sempre reclamei com ele dessa ausência. Só não entendi por que ele fez isso...

— Senhora, com licença — diz a enfermeira, entrando no quarto acompanhada de Mirna.

— Bom dia! — diz Mirna, aproximando-se do grupo.

Fernando olha carinhosamente para sua amiga e psicóloga.

— Meu Deus, que visita maravilhosa! — diz Eleonor, aproximando-se de Mirna e tomando-lhe as mãos.

— Vim visitar o meu querido amigo — diz Mirna.

— Filha, esta é a doutora que acompanha o Fernando na casa espírita. É ela que cuida dele e da Raquel desde meninos.

Marly se levanta e cumprimenta Mirna, que gentilmente lhe devolve o cumprimento com um sorriso e um abraço.

— Quero pedir perdão por nunca ir encontrar-me com a senhora. É que o Roberto, o meu marido, me proíbe de encontrá-la. Ele não gosta dessa ideia de Espiritismo. E confesso que eu também morro de medo de centro espírita.

— Mas não falamos de Espiritismo nas consultas que realizamos nos atendimentos do centro espírita. Sou uma simples voluntária e exerço com amor e caridade a minha missão.

— Já falei isso para ela dezenas de vezes — interrompe Raquel, que se levanta e abraça carinhosamente Mirna.

— Vocês deveriam conhecer o centro espírita antes de julgá-lo — diz Eleonor.

— Mamãe, você sabe como é o Roberto.

— Imagino — diz Mirna. — Por diversas vezes, mandei recado para a senhora para que pudéssemos conversar sobre as crianças.

— Perdoe-me, senhora. Devo lhe dizer que o Roberto é um bom pai. Apesar de ter feito isso com o Fernando, ele é um bom pai. Perdoe-me. Estou muito perturbada com todos esses acontecimentos.

— Imagino — diz Mirna.

— Que bom que a senhora veio me visitar! — diz Fernando com dificuldade, pois seu rosto está muito inchado.

— Aproveitei que estava por perto e achei mesmo que esta seria uma grande oportunidade de encontrar-me com os seus pais para termos uma conversa.

— Ótima ideia — diz Eleonor.

— Sente-se aqui, doutora — diz Raquel, mostrando uma cadeira próxima a Mirna, que a puxa para perto do grupo e se senta.

Fernando fica feliz com a presença da amiga.

— Bem, Marly, eu cuido do Fernando e da Raquel desde que eram bem pequeninos. Sou uma pessoa do bem e faço questão de que todos ouçam o que vou lhe falar. Não me queira mal, mas se faz necessária esta conversa — diz Mirna, acomodando-se.

— Sim, doutora, pode prosseguir — diz Marly, atenta.

— O seu filho não é doente nem, muito menos, tem algum tipo de problema. A homossexualidade, de longe, já deixou de ser uma doença. Ser homossexual é uma condição que nasce com o ser humano. O seu filho nasceu assim. Ele não se tornou o que ele é. Ele é homossexual e ponto. Sei que, no fundo, a senhora sabe da verdade. Mas essa é uma verdade que tem que ser dita em alta voz para que o preconceito e a discriminação sejam postos de lado, principalmente dentro da sua família.

— Eu, no fundo do meu coração, sempre tive essa certeza — diz Marly, de cabeça abaixada.

— Meu Deus! — diz Eleonor, assustada.

— Eleonor, você é minha amiga e sabe o quanto sou qualificada para dar esse diagnóstico. O Fernando sofre muito por tentar ser algo que nunca será. Foram muitas as consultas em que ele chorava copiosamente por não ser compreendido por vocês e, principalmente, pelo pai, o Roberto.

— O Roberto jamais consentirá ter um filho homossexual em casa — diz Marly.

— Pois é por isso que mando milhares de recados para a senhora. Você, Marly, é quem pode e deve convencer seu marido a aceitar o Fernando como ele é — insiste Mirna.

— Isso é impossível — diz Raquel. — Impossível!

Fernando, emocionado e feliz, sente sair de dentro de si algo carregado com muito sacrifício e muita dor. Eleonor observa tudo calada.

— Olhe, se o seu marido pensa assim, como a senhora vai levar este menino para casa?

— Não pensei nisso — diz Marly.

— Pois é. Quem nos garante que, da próxima vez, as coisas não serão piores?

— Escute a Mirna, Marly — diz Eleonor.

— Mamãe, vou conversar com o Roberto. Se eu o conheço bem, ele deve estar muito arrependido. Explicarei a ele a opção sexual do Fernando. Deixe estar, que vou convencê-lo a amar o Fernando do jeito que ele é.

— Senhora, o Fernando não é doente — diz Mirna.

— É, Marly, ele não é doente — diz Eleonor.

— Eu sei, mamãe. Eu sei...

Mirna se levanta e segura na mão de Fernando.

— Você está bem, meu amiguinho?

— Sim, Mirna. Obrigado por conversar com a minha mãe e explicar a ela o que tenho tentado falar por anos. Obrigado por aliviar o meu coração.

— Estarei sempre ao seu lado, meu amigo — diz Mirna.

— Mamãe, você está calma?

— Sim, Fernando. Estou um pouco confusa, confesso, mas nós, mães, nunca nos enganamos com nossos filhos. Eu sempre soube que esse seria o seu destino. E sempre temi por ele. Eu sempre soube que, um dia, teríamos que ter esta conversa.

— Mamãe, eu sou uma menina num corpo de menino. Sei que *está* tudo errado, mas nunca vou fazê-la ficar triste de novo. Eu te amo acima de tudo. Quando compreendi minha condição, logo percebi que seria e será, para mim, muito difícil viver assim. Sofro todos os dias por me sentir incapaz de mudar isso que está dentro de mim. Por diversas vezes, travei uma luta silenciosa dentro de minha alma. Mamãe, eu tentava a todo custo me afastar dessa tendência ruim para alguns, mas perfeita para mim. Sou assim e nada posso fazer. Eu sempre tive a certeza de que minha escolha me fará sofrer perante a sociedade. Perdoe-me, mamãe, mas sou assim... Deus me fez assim. Perdoe-me — diz Fernando, com lágrimas nos olhos.

Marly, emocionada, abraça Fernando com ternura e beija-lhe a face. Com o indicador, ela retira cuidadosamente as lágrimas do lindo rosto do rapaz. Todos ficam comovidos com o momento. Raquel não consegue conter as lágrimas e chora, acompanhada da avó.

Mirna sente uma felicidade enorme invadir seu peito — a sensação do dever cumprido. Ela sente-se aliviada.

— Mamãe, mas tem outra coisa que preciso lhe contar.

— Diga, meu filho amado.

— Eu não quero mais viver no Brasil. O meu sonho é viver em um país onde eu não sofra com tanta discriminação e preconceito; onde eu não seja taxado de anormal e não seja xingado diariamente; onde eu não sofra como sofro aqui. E é por isso que sempre sonhei ir para outro país, onde pessoas mais cultas não tratam homossexuais como somos tratados aqui.

— Como assim, Fernando? — diz Marly, assustada.

— Mamãe, eu quero ir embora do Brasil e estudar fora. Quero me formar e ser alguém na vida, alguém que lhe dê muito orgulho. Quero ajudar você e o papai a comprar nossa casa própria. Enfim, quero ser feliz.

— Fernando, que loucura é essa?

— Ele tinha me pedido essa ajuda — interrompe Mirna.

— Como assim? — diz Eleonor.

— Durante todos esses anos que cuido do Fernando, ele sonha em viver em outro país. Esse sempre foi o seu sonho. E não há acaso nesta minha visita hoje.

— Como assim?

— Fernando, tenho uns amigos que moram na França, um casal, e conversei com eles sobre você. Eles não têm filhos. O Michael é estéril e não consegue engravidar a Paloma. Expliquei-lhes sua condição e sua opção sexual. Eles não viram nenhum empecilho em você passar algum tempo na casa deles. Inclusive, eles podem auxiliá-lo muito nos estudos, pois a Paloma é professora por lá. Conversei com eles ontem por telefone e lhes expliquei o ocorrido. Eles logo se predispuseram a ajudá-lo, mas, claro, se os seus pais permitirem. Antes mesmo de você falar alguma coisa, Marly, você e o seu marido poderão visitá-los quando quiserem. A proposta da Paloma é para que o Fernando estude lá e, quando se formar, ele decide o que é melhor para ele.

— Deus me livre ficar sem o meu filho! — diz Marly.

O Lado Azul da Vida

Os olhos de Fernando brilham como nunca. Só de pensar em viver em outro país, ele fica emocionado. A felicidade invade seu coração.

— Marly, não dê uma resposta à Mirna agora. Faça uma boa reflexão sobre sua proposta. Afinal, estudar na Europa é o sonho de todo jovem — diz Eleonor.

— Mamãe, você ficou maluca? Jamais conseguirei viver sem o meu filho!

— Mãe, é o meu sonho — diz Fernando.

— Fernando, o seu pai jamais vai permitir uma coisa dessas.

— Converse com ele, mãe. É o que é melhor para nós. Qual é a alternativa que temos hoje? — diz Raquel.

— Vocês ainda são crianças e não podem decidir sobre suas vidas.

— É por isso mesmo que essa oportunidade não pode ser perdida, Marly. Você tem que aproveitar a pouca idade do seu filho para estudar nas melhores escolas do mundo e se formar por lá. Pense direitinho. Quais são as oportunidades que esta criança terá aqui? Pense no preconceito e na discriminação que o Fernando terá de suportar. Pense bem, Marly — diz Mirna com firmeza. — E tem outra coisa: o Michael é um homem muito rico e certamente cobrirá o Fernando com as melhores coisas do mundo. Eles são espíritas e muito carinhosos e caridosos.

— Não sei se isso é o certo.

— Mamãe, a minha felicidade é o certo. Eu não sei como será a minha vida daqui para a frente. O papai precisa ser punido pelo que me fez. Eu já fui procurado por um policial aqui do hospital, que me pediu para contar o ocorrido. Ele me pediu o endereço de casa.

— E o que você falou?

— Não disse nada. Disse a ele que ia conversar com você primeiro e que depois conversaria com ele novamente.

— Ainda bem que você não falou nada. O seu pai pode se complicar.

— Isso é verdade, mas é uma questão que a família tem que decidir — diz Mirna.

— Vamos conversar — diz Eleonor.

Marly fica triste e quieta. Todos se abraçam e Mirna se despede com carinho e amor.

Marly mal cumprimenta Mirna, que tanto a contrariou.

— Fiquem todos com Jesus em seus corações. Agora tenho que ir para cuidar de outros pacientes. Marly, pense com calma em tudo o que lhe falei. Saiba que o meu intento é auxiliar o Fernando. Não quero e não desejo tornar ninguém infeliz. Fiquem bem. Bom dia!

Assim, Mirna deixa o hospital. Marly fica por algum tempo em silêncio, visivelmente contrariada com a proposta de Mirna. Fernando, feliz, evita tocar no assunto para não aborrecer ainda mais sua mãe.

Eleonor e Raquel resolvem levar Mirna até a portaria do hospital, onde se despedem.

— Obrigada, Mirna, pela visita — diz Eleonor.

— Vim porque precisamos auxiliar o Fernando. Ele é muito infeliz aqui e é muito especial para mim. Eu acho sinceramente que sua filha deveria pensar seriamente em minha proposta.

— É, eu sei. Vou conversar com ela quando estiver mais calma — diz Eleonor.

— Faça isso — diz Mirna, despedindo-se. — Tchau, Raquel! Cuide-se bem!

— Tchau, querida!

— Olhe, Raquel, o seu tratamento ainda não acabou — diz Mirna.

— Eu sei, Mirna. Eu sei. Em breve, eu a procuro.

— Beijos, meninas! — diz Mirna, afastando-se.

Todas elas se despedem felizes.

O destino de Fernando está traçado. Será que tudo vai mudar?

> *A homossexualidade é uma condição da alma
> e não do espírito.*

Osmar Barbosa

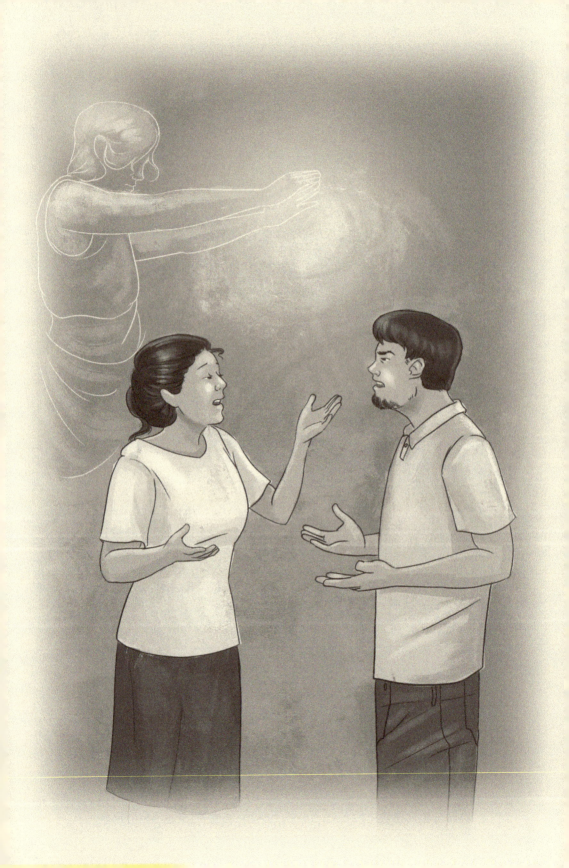

Destino

Após a visita, sem tocar mais no assunto proposto por Mirna, Marly segue para casa sozinha. Ela pede a Eleonor para que leve Raquel para sua casa. Na verdade, ela tem medo da reação de Roberto ao ver a filha e prefere encontrar-se com ele sozinha.

— Mãe, leve a Raquel para a sua casa, por favor. Aproveitarei que hoje é sexta-feira para ter uma conversa definitiva com o Roberto sobre a nossa vida.

— Você não quer que eu fique com você? Não quer que a acompanhe? Posso deixar a Raquel em casa e ir com você.

— Não, mãe. O problema do Roberto não é comigo. O problema dele é com o Fernando e a Raquel. Deixe que eu converse com ele. Amanhã, vou até a sua casa para lhe contar o que decidi e buscar a minha filha.

— Está bem, filha. Qualquer coisa, você me liga?

— Tudo bem, mamãe. Pode deixar. Raquel, vá para a casa da sua avó. Amanhã bem cedinho irei buscar você e sua avó para irmos visitar seu irmão.

— Está bem, mamãe, mas tome cuidado com o papai.

— Pode deixar, filha. Pode deixar...

Marly chega em casa e não encontra Roberto. Sentindo uma enorme tristeza no coração, ela começa a arrumar a casa cuidadosamente. Limpa o chão da cozinha, ainda manchado com o sangue de seu filho. Seu coração está em pedaços.

Marly, então, se dirige à área de serviço e começa a lavar os panos que havia usado para limpar o chão.

Logo ela ouve um barulho na porta da frente e percebe que Roberto acabara de chegar.

Marly termina sua tarefa e se dirige à cozinha, onde Roberto está sentado, segurando um copo com água em suas mãos. Quieto, ele não se manifesta com a presença de Marly, que se senta à sua frente e olha para ele fixamente.

— Oi, Roberto.

— Oi, Marly.

— Você pode me explicar o que aconteceu aqui?

— Sabe, Marly, eu sei que errei. Sei que nunca fui um bom pai. Sinto-me culpado por Fernando ser assim. Acho que falhei. Perdi a cabeça quando cheguei em casa e vi meu filho com traços de menina, com aquele jeito, aquele olhar afeminado e aquelas roupas que somente uma menina pode usar. Não consigo compreender por que Deus me castigou assim. Por que eu? Por que, meu Deus?

— Calma, Roberto. Mantenha-se calmo! O Fernando não tem culpa de ser assim.

— Claro que tem. Ele é um menino, e não uma menina. Isso é coisa da cabeça dele! Uma boa coça resolve. Onde estão ele e a Raquel? Além disso, ele vive frequentando aquele lugar maldito. É lá que o demônio se apossa de seu corpo e o faz ser assim.

— Você nem percebeu o que fez, não é, Roberto? No mínimo, estava com a cara cheia de cachaça e não percebeu que quase matou seu filho. Ele está internado no hospital. E o centro espírita não tem nada a ver com o que você fez. Não queira justificar seu erro colocando erro nas coisas que você ainda não conhece.

— É bem feito! Quem sabe assim ele aprende a ser homem — diz Roberto, com muito ódio nas palavras.

— Seu filho nunca vai ser homem. Ele nasceu uma menina num corpo masculino. Você tem que aceitar isso. Nós não temos culpa de Fernando ser assim. Na verdade, nem ele é culpado de ser como é.

— Nunca, jamais, vou conviver com um afeminado dentro da minha casa. Jamais!

— Não fale isso, homem! Ele é seu filho. É um menino de ouro. É o melhor aluno da escola. Ele não se envolve em confusão. Nunca recebemos uma reclamação sequer de quem quer que seja sobre o Fernando e, muito menos, sobre a Raquel. São crianças maravilhosas e abençoadas.

— Eu devia ter batido com mais força. Assim, eu matava logo esse desgraçado. Inferno...

— Meu Deus! — diz Marly, assustada.

O mentor espiritual de Fernando se aproxima e estende as mãos sobre o casal.

Então, Roberto prossegue:

— Aqui ele não entra mais. Mande-o para o inferno. Aqui ele não vive mais.

— Mas, Roberto, ele é nosso filho!

— Marly, você é quem decide: ou ele, ou eu. Escolha: ou ele, ou eu. Se ele entrar por essa porta, eu saio pela outra. Como olharei para os meus amigos? Como apresentarei o meu filho como uma menina? Está louca? Ou ele, ou eu! A conversa está encerrada. Decida. Você é quem tem agora o poder da escolha.

— Mas, Roberto, não se trata disso.

— Não interessa. É assunto encerrado. Eu já disse: ou ele, ou eu. Agora vou até o bar, pois lá é o único lugar onde me sinto bem. É na bebida que encontro paz e um pouco de alegria nesta vida maldita.

— Roberto, vamos conversar, homem! — insiste Marly.

— Já estamos conversados. Ou ele, ou eu. Escolha.

— Roberto...

Marly insiste em conversar, mas Roberto lhe dá as costas e sai para beber com os amigos.

Durante toda a noite, Marly chora quieta e sozinha na pequena e humilde casa.

Roberto só chega pelas altas horas da madrugada, bêbado. Ele se deita no sofá da sala e dorme lá mesmo, sem tomar banho, exalando forte cheiro de álcool.

Ao amanhecer, como de costume, Marly se levanta para preparar o café da manhã para Roberto, que já se encontra no banheiro, arrumando-se para ir trabalhar.

— Bom dia, Roberto.

— Bom dia, Marly.

— Você está mais calmo? Podemos conversar?

— Não tenho nada para conversar com você. Eu já lhe informei a minha decisão.

— Roberto, pense bem, por favor. Ele é nosso filho. Você trabalhará hoje?

— Não tenho mais nada a falar. E trabalharei durante todo o fim de semana.

— Então, posso deixar o Fernando morando na casa de uma pessoa? Você não quer ver o seu filho no hospital?

— Faça o que você quiser com esse garoto. Eu é que não quero mais vê-lo dentro da minha casa e, muito menos, na minha vida.

— Você tem certeza do que está falando?

— Sim, não quero um filho desse jeito na minha vida. Não conviverei com uma pessoa assim na minha casa.

— Você tem certeza disso?

— Para de encher, mulher! Sou homem e não viverei com um afeminado dentro da minha casa, já falei!

Sem dizer mais nenhuma palavra, Marly pega sua bolsa, que está sobre a mesa, e sai. Roberto termina de se arrumar e também sai para o trabalho.

Marly, tentando conter as lágrimas, se dirige à casa de sua mãe.

Após algum tempo...

Eleonor ouve o interfone de seu prédio e corre para atender.

— Mãe, sou eu.

— Suba, filha.

Marly, ao chegar ao pequeno apartamento, corre para os braços de Eleonor em lágrimas.

— Meu Deus, o que houve, filha?

Marly não consegue falar. Chora compulsivamente.

— A Raquel continua dormindo? — pergunta ela com a voz sufocada pelas lágrimas.

— Sim, filha. Ficamos até tarde assistindo a televisão e hoje ela não tem aula. Mas o que houve? — pergunta Eleonor, secando as lágrimas da filha carinhosamente.

— Ah, mamãe, ele não quer nem ver o Fernando em sua frente. Ele está tomado por um ódio pelo menino. Disse-me para escolher ou ele, ou o Fernando.

— Meu Deus, que crueldade com o Fernando!

— E agora, mamãe, o que faço?

— Largue esse desgraçado e venha viver aqui comigo. O meu apartamento é pequeno, mas cabe todo mundo. Podemos viver eu, você e as crianças.

— Como vamos viver em um apartamento de quarto e sala, mamãe? Aqui não dá nem para você direito.

— Filha, eu vivo da pensão que seu pai deixou e só tenho condições de pagar este aluguel barato aqui. Infelizmente, a minha aposentadoria ainda não saiu, mas, quando sair, as coisas vão melhorar.

— Eu sei, mamãe. Eu sei. Mas a solução não é essa. Estou pensando seriamente em deixar o Fernando ir morar com aquela tal mulher na França.

— Se eu fosse você, deixaria. Não é que eu deseje ficar sem o meu neto, mas uma coisa que ele diz, e tem razão, é que sofrerá muito aqui por ser como é. Pense direitinho. E, além disso, ele poderá estudar e ser alguém e realizará seu sonho.

— É por isso que estou pensando seriamente em deixar o Fernando passar um tempo por lá.

— Você falou isso para o Roberto?

— Ele não quer mais ver o Fernando na frente dele. Disse que, se ele voltar para casa, quem sai é ele.

— Desgraçado!

— É, mamãe, mas o pior é que eu não consigo viver sem o Roberto. Passei a noite inteira acordada, pensando em minha vida e nas crianças, e confesso que ainda sou muito apaixonada por ele. Não consigo me enxergar sem ele. Ele foi meu primeiro namorado e é meu marido. Também por que foi, meu Deus, que o Fernando nasceu assim?

— Sendo assim, a melhor coisa que você pode fazer pelo Fernando é deixá-lo seguir seu destino. O menino não tem culpa. Aliás, essa é uma qualidade que o destaca perante todas as pessoas que conheço. O Fernando é um menino de ouro, um ser especial.

— Desde pequeno, eu percebia que ele era diferente dos outros meninos. Meu coração de mãe não se importa com isso. Vou amá-lo sempre. Perto ou longe, sempre serei a mãe dele. Você se lembra da nossa conversa na praça quando eles ainda eram bem pequeninos?

— Nunca esqueci aquele dia.

— Acho que a maior prova de amor que posso dar ao meu filho é deixá-lo seguir em frente.

— Isso, filha! Belos pensamentos! Pense assim mesmo. Acredite, tudo tem um propósito na Lei de Deus.

— Mamãe, eu amo o meu filho e sempre vou querer o que for melhor para ele.

— Muito bem, filha. Muito bem! Você quer que eu ligue para a Mirna?

— Ainda não, mamãe. Vamos até o hospital, pois quero me certificar de que o Fernando esteja seguro de sua decisão. Quero conversar mais um pouco com ele.

— Sim, filha, vamos. Darei café à Raquel e poderemos ir. Vou acordá-la.

— Deixe-a dormir, mamãe. Vou escrever um bilhete para ela. Daí podemos ir.

— Está bem, filha. Vou pegar papel e lápis para você.

Assim, Marly deixa sobre a mesa do café um bilhete explicando para Raquel que ela e Eleonor foram ao hospital visitar Fernando e que, assim que ela acordar, pode ir ao encontro deles.

Logo chegam ao hospital e dirigem-se rapidamente à enfermaria, onde Fernando já está sentado conversando com os demais pacientes.

— Oi, mãe! — diz o jovem ao perceber a chegada da mãe e da avó.

Abraçados, Fernando, Marly e Eleonor sentem-se felizes com o encontro.

— Que bom ver você assim, filho!

— Estou bem, mamãe. Ainda tenho algumas dores no corpo, mas já estou até de alta. O médico passou aqui bem cedinho e me liberou para ir para casa.

— Que notícia boa! — diz Eleonor.

— Já arrumei as minhas coisas. Vamos, mamãe?

— Vamos, filho. Vamos, sim.

— Gente, foi ótimo estar com vocês, mas agora Fernandinho vai para casa, beijar a vida e ser feliz — diz o jovem Fernando, despedindo-se dos demais pacientes.

Todos na enfermaria riem e se despedem com amor de Fernando, que está muito alegre e feliz.

— Mamãe, você tem certeza de que posso ir para casa?

— Nós não vamos para a nossa casa.

— E para onde eu vou? Ou melhor, para onde nós vamos?

— Vamos para a casa da sua avó.

— Por que estamos indo para lá, e não para a nossa casa?

— Precisamos conversar, meu filho.

— Podemos conversar agora. O que acha?

— Conversaremos quando chegarmos à casa da sua avó, está bem, Fernando?

— Está bem, mamãe. Está bem. Então, vamos logo. Onde está a Raquel?

— Deixamos a Raquel dormindo. Acredito que ainda não tenha acordado.

— Vamos logo. Quero ver a minha irmã.

— Vamos, filho — diz Marly, com os olhos cheios de lágrimas.

— Mãe... você está triste. O que houve?

— Não, filho, não estou triste. Só estou cansada. Só isso.

— Então, vamos logo para a casa da vovó. Sinto que há coisas boas nos esperando.

— O que você disse, Fernando?

— Sinto que a minha vida vai mudar, vovó. Eu acho que os meus mentores espirituais resolveram me ajudar.

— Você pede ajuda a eles?

— Todos os dias, vovó.

— E o que é que você pede a eles?

— Que eu possa ser feliz e realizar todos os meus sonhos e desejos.

— Eu acho que os seus amigos espirituais resolveram ouvi-lo, Fernando.

— Jura, vovó?

— Não preciso jurar para que você seja ajudado. O que você é e faz já é o suficiente para Deus abençoar a sua vida.

— Obrigado, vovozinha. Você é muito gentil.

— Que bom! Vamos logo — diz Marly, apressando o grupo.

Após algum tempo, todos chegam ao apartamento de Eleonor. Raquel já está de pé, preparando seu desjejum na minúscula cozinha. Ao ver o irmão chegando, sente-se feliz e corre para abraçá-lo.

— Ah, que bom que você está aqui, Fernando!

— Eu já estava com saudades de você, maninha. — Fernando senta-se no pequeno sofá ao lado de Raquel e dirige-se firmemente a Marly: — E aí, mamãe, você vai me deixar viver na França?

Marly aproxima-se, senta-se em uma pequena cadeira e fica de frente aos filhos.

Após uma pequena pausa reflexiva, ela diz:

— Vou, meu filho. Eu vou deixá-lo viver a sua vida. Eu acho que você ainda é muito jovem para viver longe de mim, mas não me resta outra opção. O seu pai não quer que você volte para a nossa casa. Eu não consigo me sustentar e não sei se conseguiria viver longe dele, confesso. E ainda tenho a Raquel para cuidar e educar. Passei a noite em claro pensando no que seria melhor para você e decidi que é realmente sair daqui. Que vá respirar novos ares e seguir adiante com os seus sonhos. Que você seja feliz, mesmo deixando um buraco enorme dentro de mim. Sei que vou sofrer, mas, se a sua felicidade custa o meu sofrimento, serei feliz.

— Puxa, mamãe, como estou feliz! Você é a melhor mãe do mundo. E fique tranquila, que eu também vou sentir muitas saudades de todos vocês. Mas, como disse, aqui é muito difícil eu ser quem sou de verdade. Espero que vocês sejam felizes e prometo que, um dia, eu vou voltar para comprar a mais linda casa do mundo para você e para a minha vovozinha querida.

Marly não consegue conter as lágrimas e abraça carinhosamente Fernando. Naquele momento, abraçados, todos choram.

Após um logo abraço em família, Fernando diz:

— Não chore mais, mamãe, por favor. Preciso ser feliz. Aqui eu jamais conseguirei me expressar. Preciso viver em um lugar onde a liberdade de pensamento seja respeitada. Preciso ser quem realmente sou. Como digo a vocês todos os dias, aqui eu nunca conseguirei ser feliz.

— Eu sei, filho. Eu sei... — diz Marly entre lágrimas.

Fernando começa a chorar agarrado ao pescoço da mãe. Raquel se aproxima e abraça ambos.

Logo Mirna é informada por Marly que permitiu que Fernando vá viver na França com o casal amigo. Tudo é acertado entre eles. Após alguns dias, Fernando viaja para a França para viver com Michael e Paloma.

Marly, Raquel e Roberto retomam suas vidas.

A despedida é calma e serena. Marly sabe que o melhor para Fernando é realmente seguir seus sonhos.

> *Filhos são como diamantes. São pedras preciosas que Deus nos permite lapidar*

Osmar Barbosa

OSMAR BARBOSA

A realidade espiritual

As imagens são interrompidas e Daniel se coloca de pé à frente de todos novamente.

Todos que assistem à vida de Fernando sentados nas confortáveis poltronas do amplo salão da colônia sentem-se emocionados e felizes com a decisão de Marly. Afinal, ela agiu com a razão, embora seu coração estivesse dilacerado, e os espíritos percebem isso.

Nina se põe de pé e questiona Daniel.

— Daniel, perdoe-me, mas por que a homossexualidade de Fernando se destaca nessa história?

— Não é para isso que estamos aqui? Não é senão para compreendermos por que alguns espíritos, quando encarnados, vivem e experimentam as psiques misturadas? Meninos atraídos por meninos e meninas atraídas por meninas?

— Sim, Daniel, é para isso que nos reunimos aqui — diz Felipe.

— Quero ser o condutor de todos vocês até a câmara da realidade espiritual — diz Daniel.

— Que câmara é essa, Daniel? — pergunta Lucas.

— É o lugar onde adquirimos a nossa real condição de espírito. É nessa câmara que nos encontramos com o nosso eu verdadeiro.

— Como assim?

— Estamos temporariamente experimentando uma forma, aquela que escolhemos permanecer aqui na colônia. Um exemplo claro disso é que estou mantendo a forma da minha última encarnação. Sou agora o Daniel da minha última vivência na Terra. Nós, espíritos, não temos sexo definido; se fosse assim, Ele não seria justo, pois poderia usar desta ou daquela condição para punir Seus filhos. Na verdade, seria uma punição você permanecer por toda a sua existência como menino, como menina ou em outra condição. Não é justo, e lembrem-se sempre disso: Ele é justíssimo. Sendo Deus homem e mulher, todos somos Sua semelhança. Assim, nós não temos um sexo definido. Experimentamos as psiques para o nosso desenvolvimento espiritual e para a nossa melhora moral. E, assim, nos tornarmos espíritos perfeitos.

— Quer dizer que eu, Lucas, escolhi viver como Lucas aqui no mundo espiritual?

— Sim, foi você quem escolheu logo que adentrou a vida espiritual. Estar como Lucas é o que você precisa para desenvolver-se e ascender a planos ainda maiores. É necessário que você use esta roupagem, ou melhor dizendo, use esta veste perispiritual para que, aproveitando-se desta condição aqui na colônia, continue sua evolução. Neste momento, você não se lembra da escolha, pois, até aqui e em todas as colônias, as Leis Naturais e imutáveis se estabelecem. O esquecimento temporário é, e será sempre, a forma protetiva do espírito que almeja a evolução. Lembremo-nos de que a evolução é uma condição pessoal. Ninguém evolui pelo outro. Nós, no máximo, só podemos auxiliar uns aos outros. Auxiliar-nos-emos e melhoraremos todo o nosso eu moral e espiritual.

— Entendi, Daniel. Mas por que experimentar isso?

— A vida na Terra, Lucas, é temporária e motivada pelas oportunidades que todos os que nela estão têm de resgatar seus débitos anteriores. A opção sexual é uma prova muito difícil para aqueles que experimentam viver uma sexualidade em um corpo que não lhes permite expressarem-se livremente. Não é um castigo; é sempre uma escolha. Lembre-se disto: sois livres.

— É castigo?

— Não, Lucas. Como já falei, Deus não castiga Seus filhos. É prova — diz Daniel.

— Mas como é essa tal câmara?

— Fechem os olhos, que vou conduzi-los ao estado em que compreenderão o que estou falando. Prestem atenção ao que digo. A câmara não é um lugar específico, e sim um estado mental. É a consciência de si. Fechem os olhos e se mantenham sentados. Relaxem, tenham calma e prestem muita atenção em minhas palavras. Eu vou conduzi-los a outra dimensão.

Todos os espíritos permanecem quietos, sentados e concentrados nas palavras de Daniel, que gentilmente profere uma linda prece.

Oremos...

Senhor, meu Deus, necessário se faz que nos permita transcender aos princípios desta colônia espiritual. Pai de misericórdia divina e amor sublime, Senhor de bondade infinita, solicito-Lhe permissão para ultrapassar junto a este grupo de espíritos as esferas mais sublimes da Sua criação, onde poderemos experimentar por algum tempo a nossa condição plena desde a nossa criação.

Solicitamos à nossa mentora espiritual proteção e auxílio nessa curta viagem, necessária a todos os que estão atualmente necessitados da compreensão.

Glória a Ti, Senhor...

Frei Daniel

Todo o ambiente é iluminado por uma intensa, mas suave, luz de cor violeta. Uma linda canção, entoada por vozes como de anjos, envolve o ambiente. Logo todos se veem em um lugar de linda paisagem e com um céu encoberto de estrelas que brilham durante o dia. O sol é amarelo-claro e não ofusca as vistas daqueles que chegam acompanhados por Daniel àquele lindo lugar. Pássaros gigantescos voam pelo lindo céu cor de laranja. Há nuvens de cor azul espalhadas pelo céu. Vários seres reluzentes passeiam pelo lugar.

Nina olha para Felipe e vê nele um ponto de luz muito grande. Felipe não consegue perceber a forma física de Nina e se assusta.

— Nina, é você?

— Sim, Felipe, sou eu.

— Mas você perdeu sua forma física! Você não tem mais o corpo e o rosto. Meu Deus!

— Você também perdeu.

Daniel se aproxima de Nina e Felipe.

— Fiquem calmos. Esta é a verdadeira forma de vocês. Esta é a forma dos espíritos.

Daniel se apresenta como um feixe de luz alto na vertical.

— Você é assim, Daniel?

— Somos luz. Todos somos frutos de uma única energia. Essa, a qual chamamos de Deus, é na verdade uma fonte criadora de energia, amor e luz eterna. Nenhum de nós tem uma forma preestabelecida. Aperfeiçoamos nosso espírito por meio das provas que enfrentamos em nosso dia a dia, usando sempre um corpo perispiritual, que tem forma e se apresenta como vocês se veem na colônia e em todos os lugares. Após cada experiência, nos transformamos em feixes ainda mais reluzentes. Após cada encarnação, nos transformamos em seres de luz, puros e perfeitos. Assim, temos condições espirituais de ascender a planos superiores, onde a perfeição dos espíritos predomina.

— Como assim?

— A forma física, Nina, é uma das formas que usamos para nos tornarmos perfeitos. E a forma que usamos atualmente em nossa colônia é aquela à qual melhor nos adaptamos para vencer nossas atuais tribulações e passar pelas experiencias espirituais que nos permitiram a melhora. À medida que evoluímos, vamos adquirindo outras formas, que, no final, nos farão um ser de luz plena, como uma estrela que brilha em todo o Universo.

— Realmente, faz sentido — diz Lucas, aproximando-se.

— Nunca pensei que pudesse ser assim — diz Felipe.

— Agora vocês têm a consciência de que as coisas são assim. E que, temporariamente, vocês não precisam se lembrar disso. É desnecessário, entendem?

— Sim, Daniel, assim como nos esquecemos de nossas vidas anteriores quando estamos encarnados.

— É isso mesmo, Nina. Aqui em nossa vida espiritual, assim como na vida material, só guardamos o que é necessário para a evolução daquele momento. O restante fica esquecido temporariamente em nós e só nos é relembrado quando necessitamos, como agora, por exemplo.

— Você é essa luz toda, Daniel?

— Sim, Lucas. Quanto mais evoluído você é, maior é sua capacidade luminosa.

— Quer dizer que estamos, na verdade, nos tornando luzes? Luzes perfeitas, é isso?

— Sim, Felipe. Tudo é energia. Tudo está ligado ao Criador, que a todos auxilia e ampara. Os espíritos são as luzes do Universo, que continua se expandindo, e toda criação segue o roteiro de nascer, morrer, renascer e progredir, sempre.

— Meu Deus!

— E para onde vamos após atingirmos a luz plena? — pergunta Nina.

— Para junto do Criador. Lá, O auxiliaremos no todo. Os espíritos são engrenagens conectadas diretamente a Ele. Ainda não percebemos isso. Só quando adquirimos uma condição melhor é que passamos a compreender tudo.

— Entendo, Daniel. Que lindo!

— Sim, Nina, tudo o que vem da Criação é lindo, justo e perfeito.

— Agora, temporariamente, estaremos na colônia com as psiques definidas para continuarmos nossa evolução. É isso, Daniel?

— Sim, Nina. Por ora, viveremos como Daniel, Nina, Felipe, Lucas e todos vocês. Necessário se faz compreender que tudo tem um propósito. Tudo está conectado a Ele, que ama, ampara e cuida.

— Podemos voltar, Daniel? — pergunta Mateus, aproximando-se.

— O que houve, Mateus?

— Prefiro viver como Mateus. Não estou me adaptando a ser luz — diz ele, fazendo todos rirem.

— Podemos escolher viver eternamente em uma forma, Daniel? Melhor dizendo, posso ser Nina pela eternidade?

— Não. Um dia, você terá que transcender às esferas mais sublimes e lá se utilizará de outras formas, por haver milhares de formas criadas para a evolução nos mundos e em outros universos.

— Como assim?

— Há milhares de mundos e universos, Felipe. E todos os espíritos que habitam esses mundos e universos são filhos do único e eterno Criador. Mas deixemos esse assunto para uma próxima oportunidade.

— Ainda bem — diz Lucas, assustado.

— Agora, por favor, concentrem-se, que voltaremos para o salão de nossa colônia. Fechem os olhos e acalmem-se.

Todos acordam assustados de volta ao enorme salão da colônia. Os espíritos se entreolham espantados, mas felizes com a experiência vivida e o lindo ensinamento passado por Daniel. Uma paz indescritível invade o lugar.

— Que sensação vocês sentem agora?

— Alívio, Daniel — diz Lucas.

— E você, Nina?

— Sinto-me aliviada por voltar à minha condição de costume. O engraçado é que tive medo de não poder voltar a ser eu mesma, esta Nina aqui.

— Essa é a mesma insegurança que sentem os encarnados. Eles ficam presos à condição atual. Esquecem-se de que são eternos e de que, um dia, todos voltarão à condição de espírito, aquele criado por Deus.

— É verdade, Daniel. Tive medo de perder essa condição.

— Esse medo é necessário a todos os espíritos, Felipe. Serve para que eles não tentem contra sua própria vida. Esse medo existe quando estamos encarnados. Na verdade, é um dos instrumentos mais perfeitos da Criação. Imagine se todos os encarnados tivessem absoluta certeza da continuidade da vida. Qual seria a reação de um pai ou uma mãe quando perdesse um filho em tenra idade? Qual seria a reação de quem perdeu tudo na vida? Imagine alguém que perdeu seu grande amor. O que esses irmãos fariam se tivessem certeza absoluta da continuidade da vida? Certamente desistiriam, atentando contra a própria vida, pois saberiam que acordariam longe da dor que os feriu tanto.

"Essa é a grande desilusão que sofrem os suicidas. Atentam contra a própria vida para se livrarem da dor, mas esquecem que são eternos e que a dor nunca passará, a não ser que decidam curar-se. E isso eles podem fazer sem cometer o grave erro que os levará à punição mental nas zonas de sofrimento dos umbrais.

"O suicídio não é e nunca será o remédio certo para os espíritos em evolução.

"Todos devem conscientizar-se de que, antes de encarnarem, escolheram as provas que iriam enfrentar. Então, se está doendo, foi você quem escolheu a dor.

"Fiquem certos de que tudo foi e é criado para a proteção e a evolução dos espíritos."

— Caramba, Daniel, que lindo ensinamento!

— Sim. Por isso, insisto: confie sempre em Deus. "Orai e vigiai" por sua vida e pela vida daqueles que você ama.

— Obrigada mais uma vez, Daniel.

— De nada, Nina.

Todos se sentem felizes nesse dia.

> *A vida não se resume a esta vida*

Nina Brestonini

Além da vida

— Daniel, já que voltamos ao estado normal, posso lhe fazer uma pergunta?
— Sim, Felipe.
— Todo esse processo que experimentamos agora está a cargo de quem?

— O processo evolutivo da humanidade encarnada e desencarnada é organizado por espíritos superiores. Todo o processo reencarnatório é dirigido por eles, os nossos amigos espíritos superiores.

— Quer dizer que, à medida que vamos evoluindo, mais responsabilidades teremos para com os outros espíritos?

— Sim, Felipe! À medida que o espírito evolui, ele é orientado a acompanhar e auxiliar todos os seus irmãos, porque somos irmãos. Somos filhos de um único Criador e irmãos uns dos outros. Todo esse processo é dirigido por Ele. Nós não estamos abandonados à sorte. Aliás, ninguém está abandonado à sorte. Não há acasos e, muito menos, coincidências.

— Existe um padrão para isso?

— Não, Lucas, não existe um padrão reencarnatório. Deus não criou um programa de computador nem, muito menos, existe um padrão. Tudo depende da necessidade e do planejamento feito pelo próprio espírito.

— E quem é que toma conta do planeta Terra?

— Jesus é o tutor da vida no planeta Terra. Ele é o construtor e arquiteto desta, que nada mais é que uma nave, a qual sabemos que Ele conduz eficazmente. É bom lembrar que cabe a nós, espíritos, por meio dos ensinamentos nas casas espíritas e das psicografias, erradicar a forma antropomórfica de Deus ter o sexo masculino, pois tal energia procriadora, extrapolando conceitos, poderia, no máximo, ser considerada andrógina, isto é, pai e mãe ao mesmo tempo, uma vez que criou o Universo uno e múltiplo sem ter contato com nada que não fosse ela própria. Os espíritos não têm sexo. Eles podem encarnar como homem ou como mulher. Então, por que a alma universal teria que ter sexo definido?

— Verdade, Daniel. Necessário se faz que os encarnados e nós também estudemos com mais critérios os ensinamentos d'Ele.

— Sim, a mente tem que se libertar de pensamentos retrógrados. É necessário abrir o pensamento e compreender que tudo tem objetivo e causa.

— Verdade! — diz Nina.

— Agora peço a todos que prestem muita atenção na vida de Fernando e Raquel. Logo vocês poderão compreender tudo o que está acontecendo nessa encarnação. Por que Fernando é como é? Por que Marly sofre? Por que Raquel está atualmente no Umbral?

— Gente, tinha me esquecido da Raquel! — diz Lucas, assustado.

— Fiquem calmos e prestem atenção na vida além da vida.

— Como assim, Daniel?

— Vou levá-los a um tempo. Mantenham-se em silêncio e prestem muita atenção — diz Daniel.

> *Somente o amor é capaz de nos fazer compreender
> os designíos de Deus*

Nina Brestonini

OSMAR BARBOSA

O pretérito espiritual

O surto industrial que se abriu no Rio de Janeiro após 1850, além do grande desenvolvimento da cafeicultura no Vale do Paraíba, enriqueceu determinadas camadas da sociedade carioca, que se deram às novas formas de sexualidade. A negra escrava ao alcance da mão já não era mais suficiente. O luxo, as diversões e um simulacro do jogo da sedução tornaram-se importantes. Muitos chefes de família, de cabelos e barbas brancas, que deviam fazer respeitar-se, atiravam-se nas correrias dos bordéis, sacrificando a fortuna dos seus.

É nesse ambiente que encontramos Roberto, sentado em uma luxuosa mesa, servido por duas escravas negras de sua propriedade.

Ao seu lado está Marly, que se chama Maria nessa encarnação. Ela é a esposa do coronel Roberto, próspero fazendeiro que adquiriu sua riqueza nos cafezais.

O jantar é servido por Jurema e Marta.

— Marta, sirva mais um pouco de feijão ao senhor Roberto — ordena a patroa.

— Não precisa, Maria. Não quero mais comida. Traga-me o licor e prepare a varanda, pois descansarei e fumarei um bom charuto.

— Sim, meu senhor — diz Jurema.

— Onde estão as crianças?

— Já estão recolhidas, senhor — diz Jurema.

— Você colocou o menino no quarto que mandei decorar para ele?

— Sim, meu senhor. O Fernando está dormindo atualmente no quarto que o senhor determinou.

— Roberto, por que você quer separar o Fernando da Letícia e da Ermínia?

— Menino não tem que dormir em quarto de menina. Quero que meu filho durma em seu próprio quarto.

— Sim, mas eles sempre dormiram juntos. E ele ainda é uma criança. Tem apenas 9 anos. Fico preocupada com o fato de ele dormir sozinho nesse quarto que você mandou preparar, tão distante dos demais dormitórios da fazenda — diz Maria.

— Isso é problema meu, mulher. Cale logo essa boca e vá dormir — ordena Roberto, irritado.

— Sim, meu marido.

Maria obedece a Roberto e se levanta, dirigindo-se ao quarto do casal.

Roberto não costuma dormir com Maria, que passa longas noites solitárias no amplo quarto de casal. Ele prefere dormir em outro quarto, longe dos demais.

Roberto e Maria, nessa encarnação, têm três filhos: Fernando, de 9 anos; Ermínia, de 10; Letícia, de 12. São crianças felizes, que estudam e se divertem sempre que possível na linda propriedade do casal.

Todos se recolhem. Roberto segue até o quarto do menino Fernando, que dorme em sono profundo. Maliciosamente, tira toda a roupa e deita-se ao lado do filho. Puxa para cima de ambos uma coberta grossa e começa a bolinar a criança, que não reluta e percebe a malícia, a maldade de seu pai, mas é incapaz de reclamar.

As sessões de abuso acontecem sempre às segundas-feiras, que é quando a propriedade está mais vazia e ninguém pode ouvir o gemido abafado do pobre menino, exceto pela escrava Jurema, que percebe a maldade praticada por Roberto e fica sempre ansiosa para desmascarar o patrão e entregá-lo à polícia. Embora tenha medo, Jurema está determinada a auxiliar o pobre menino.

Maria, submissa a Roberto, aceita tudo, fingindo não perceber a maldade. Fernando tenta contar para a mãe, mas não é ouvido.

Letícia e Ermínia pouco podem fazer, pois ainda são crianças.

Nina fica horrorizada com a cena e intercede por Daniel.

— Daniel, perdoe-me.

— Sim, Nina?

A história é interrompida no telão.

— Perdoe-me, Daniel, mas que coisa horrível!

— Sim, Nina, isso é realmente horrível de se ver. Imagine o que Fernando traz em seu passado.

— Pois é. É isso mesmo. Que coisa horrível de se ver!

— Sim, Nina, mas é necessário que vocês observem toda a trajetória do Fernando para poderem entender o que ele passará agora.

— Podemos pular essa parte, Daniel?

— Sim, Nina. Pularemos essa parte, mas ainda precisaremos voltar à fazenda para acompanhar o Fernando e a Raquel.

— Mas eu não vi a Raquel nessa fazenda! — diz Felipe.

— Ela está lá — diz Daniel.

— Mas as meninas, as irmãs do Fernando, pelo que pude observar, não são a Raquel.

— Sim, Felipe, as irmãs do Fernando nessa encarnação não continuaram com ele em sua jornada. Elas escolheram seguir perto das famílias de seus maridos, pois ambas se casaram e foram morar longe. A Letícia foi morar em São Paulo e a Ermínia casou-se, teve dois filhos e foi morar no interior de Minas Gerais. Elas decidiram seguir em frente com as famílias de seus maridos.

— Podemos escolher em que família queremos evoluir?

— Lucas, as encarnações são ferramentas úteis para a evolução. Os espíritos se afinam e seguem juntos pela jornada evolutiva. Além disso, você tem o livre-arbítrio. Sendo assim, você pode escolher qual grupo de espíritos deseja acompanhar.

— Legal, Daniel. Obrigado.

— De nada, Lucas.

— Quer dizer que Fernando, Roberto, Raquel e Maria, quer dizer, Marly decidiram seguir juntos?

— Sim, Nina. Eles estão em resgate.

— Então, onde está a Raquel nessa história?

— A Raquel e o Fernando já estão juntos há bastante tempo, Felipe. Eles são como você e a Nina, espíritos afinados por séculos.

— Perdoe-me, Daniel, mas a Raquel não está nesse grupo, então?

— Está, sim, Lucas. Vamos voltar à fazenda e vocês poderão compreender melhor o que digo.

A tela volta a ficar iluminada com as imagens da fazenda. O dia começa a nascer, clareando toda a propriedade e iluminando os campos de café. Na cozinha, Jurema e Marta estão preparando o desjejum da família. Os demais empregados estão a caminho das plantações para o trabalho do dia a dia.

Tudo está normal.

É manhã de terça-feira.

— Jurema, você ouviu essa noite o menino gemendo?

— Sim, pude ouvir do meu quarto. Não suporto mais ouvir isso. Já nem consigo olhar para a cara do patrão.

— O que podemos fazer, mulher?

— Você, eu não sei, mas eu vou tomar uma atitude que sei que pode até custar a minha vida.

— O que você está pensando, sua doida?

— Eu não estou pensando em fazer; eu vou fazer.

— Fazer o que, Jurema?

— Vou pegar o menino e sumir neste mundão de meu Deus.

— Você ficou louca? O patrão vai caçar vocês pelos quatro cantos do Universo e, quando ele e seus capangas a acharem, farão picadinho de você.

— Eu é que não vou ficar olhando o pobre menino ser abusado todas as segundas-feiras e não fazer nada. Já chega aturar dona Maria ver seu filho passar por isso e não fazer nada. Infeliz essa mulher!

— Engraçado que ele não faz isso com as meninas. Ele só faz isso com o menino.

— Ele é um doente, Marta. Um maluco, isso sim.

— Veja se toma juízo, Jurema, e esquece essa história de raptar o menino.

— É o que vou fazer. Você vai ver. Salvarei essa criança.

— Ande. Vamos pôr logo a mesa, que eles já estão chegando para o café da manhã.

Após colocar a mesa do café, Jurema pede licença para ir até as plantações.

— Dona Maria, a senhora me permite ir até as plantações?

— O que você vai fazer por lá, Jurema?

— Vou catar umas ervas para preparar um prato especial para o patrão.

— Que ervas são essas?

— São ervas aromáticas que colocamos nos pratos especiais, minha senhora.

— Pode ir, mas não demore. Você sabe que não pode atrasar o almoço. O Roberto fica uma fera.

— Pode deixar, patroa. A comida vai estar servida na hora certa.

— Vá, então, e não demore!

— Sim, minha senhora.

Então, Jurema vai à procura de Juvêncio, um dos capatazes de Roberto. Ela confia nele e sabe que seu amigo, assim como ela, não concorda com tudo o que Roberto faz. Após procurá-lo pela plantação, Jurema finalmente o encontra na baia dos animais.

— Olhe só quem veio me visitar, se não é a minha amiga Jurema!

— Oi, Juvêncio!

— O que houve, Jurema? Por que está com essa cara, mulher?

— Podemos conversar em outro lugar?

— Sim, claro. Vamos até a cocheira do meu cavalo.

Após caminharem em silêncio por algum tempo, Jurema e Juvêncio chegam à cocheira e sentam-se em um banco de madeira embaixo de um frondoso abacateiro.

— Diga o que está havendo, minha amiga.

— Juvêncio, por acaso você sabe que o patrão tem abusado de seu filho, o menino Fernando?

— Ouvi dizer, mas não acredito. O senhor Roberto é um homem bom e honesto. Embora eu não concorde com tudo o que ele faz, não acredito que ele teria coragem de fazer isso com o menino, mesmo porque ele tem todas as escravas a seu dispor.

— Pois, se eu lhe garantir que ele abusa do menino, o que você me diz?

— Jurema, mais do que ninguém, você sabe de tudo o que se passa naquela casa. Se você me disser que ele faz isso, obviamente vou acreditar em você.

— Pois é, meu amigo, ele abusa do menino.

— Santo Deus do céu! O senhor Roberto ficou maluco.

— Eu também acho. Acho que ele está doente, porque isso é uma doença.

— E agora, o que fazer?

— É por isso que estou aqui, Juvêncio. Preciso da sua ajuda para salvar essa criança.

— Mas o que podemos fazer, Jurema? O patrão é um homem rico e poderoso. Ele não perdoará quem fizer mal a ele e ao menino.

— Vou fugir com essa criança por este mundão de meu Deus e salvá-lo dessa tortura, desses abusos.

— Jurema, você ficou louca mesmo, não é? Como uma pessoa como você, escrava, fugirá por aí com um menino branquinho? Você acha que as pessoas vão achar isso normal? Você não conseguirá passar nem pela primeira porteira.

— Eu até já pensei nisso também.

— E o que você vai fazer?

— Vou pintar o garoto com pó de carvão. Assim, ele fica negro e ninguém repara.

— Ficou doida de vez...

— Já se fala em nos libertar. Tenho ouvido conversas lá na sede de uma tal lei que libertará todos os negros. Há um grande movimento para a libertação dos escravos.

— É, eu também já ouvi falar dessa tal lei. Mas, por enquanto, ainda somos escravos. E você sabe muito bem qual é a pena para escravos fujões, não sabe?

— Eu sei, mas não suporto mais ver o menino sofrer. Tenho que fazer alguma coisa... Algo dentro de mim não me permite mais ficar calada e ver o sofrimento do Fernando.

— Jurema, você não tem nada com isso, mulher.

— Pense direitinho. Você é o único que pode me auxiliar na fuga, Juvêncio. Ouça seu coração, meu amigo. Precisamos salvar aquela criança.

— Mas o que posso fazer?

— Preciso de uma carroça pequena e veloz. Cogito fugir na próxima lua cheia. Pretendo me esconder durante o dia e cavalgar para bem longe durante a noite.

— Até que é uma boa ideia. Olhe, amiga, conhecendo você como a conheço, sei que nada fará você desistir dessa ideia maluca. Quando a lua chegar, sua carroça estará pronta. Colocarei alimentos e água para vários dias. Assim que você estiver pronta, me avise que eu também estarei com tudo preparado para a fuga. Mas, se algo der errado, nunca diga que fui eu que ajudei.

— Eu sabia que podia contar com você. E pode deixar, que ninguém pegará esta escrava fujona.

Carinhosamente, Jurema abraça Juvêncio, que a adverte:

— Prometa para mim que nunca vai contar a ninguém que ajudei você a fugir.

— Pode ficar tranquilo, homem. Na próxima semana, a lua estará cheia. Avisarei você e fugirei para bem longe com o menino.

— Deus a proteja, muié!

— Amém, amigo. Amém!

Jurema abraça o amigo e volta para a propriedade levando em suas mãos algumas ervas que encontrou pelo caminho.

Logo ao chegar à cozinha...

— Onde você estava, Jurema?

— Pegando ervas, Marta. Não está vendo?

— O menino Fernando está lhe procurando.

— Vou conversar com ele. Onde ele está?

— Na sala do piano.

— Vou até lá.

Jurema pega uma bandeja, coloca sobre ela um copo com água e se dirige à sala de música.

— Oi, Fernando!

— Oi, Jurema!

— Quer água?

— Sim, obrigado. Como você adivinhou que eu estava com sede?

— É porque sou adivinha.

— Que legal, Jurema! Sabe, eu gosto muito de você.

— Eu também gosto muito de você, Fernando. E é por ter esse sentimento tão profundo dentro do meu coração que não suporto ver você sofrendo.

— Mas eu não estou sofrendo — diz o menino.

— Você ainda é uma criança. Vai demorar um pouco para entender o que é a vida e tudo o que você está passando atualmente.

— Olhe, Jurema, se você está falando isso pelo fato de meu pai fazer o que faz comigo, saiba que tenho perfeito conhecimento dessa maldade. A Letícia já conversou comigo e me mostrou o quanto é errado o que o papai faz comigo. Mas a minha mãe consente. Então, eu nada posso fazer. Eu já farei 10 anos. Daqui a pouco eu me torno um rapaz, daí ele não vai mais fazer isso comigo. Eu não gosto quando ele faz. Não gosto quando ele toca em mim. Dói muito e eu sofro.

Lágrimas começam a molhar a face de Jurema, que não consegue conter-se e abraça carinhosamente o menino.

— Não chore, Jurema.

— Meu amor, se eu lhe pedir uma coisa, você faz?

— Sim, claro que sim.

— Vamos fugir daqui. Eu lhe prometo que ninguém nunca mais fará uma maldade com você. Eu vou cuidar de você como um filho. Vamos para bem longe.

— Para onde, Jurema?

— Qualquer lugar onde você não sofra mais essa dor.

— Tudo bem, eu fujo com você. É só você me dizer o que devo fazer.

— Na semana que vem, a lua vai estar cheia. Aproveitaremos o clarão dela para fugir.

— Só eu e você?

— Sim, só eu e você, mais ninguém.

— E para onde é que vamos?

— Vamos para Minas Gerais. Lá, os escravos são bem tratados. Pintarei seu corpo com pó de carvão e ninguém perceberá que você é branco. Quando você ficar maior, poderá tocar sua vida como quiser.

— Está bem, Jurema. Só lamento ficar longe das minhas irmãs. Da minha mãe, acho que não sentirei saudades, não.

— Algum dia, você voltará e poderá reencontrar-se com elas.

— Isso mesmo! Quando eu ficar um rapaz, voltarei e ficarei com a minha mãe e as minhas irmãs. Mas não quero ver o meu pai.

— Agora, não conte isso a ninguém.

— Pode deixar — diz o menino, feliz.

— Vou continuar fazendo as minhas coisas. Não conte nada a ninguém, nem mesmo às suas irmãs, pois elas podem estragar o nosso plano.

— Pode deixar. Eu já sou um rapazinho. Não contarei nada a ninguém.

Os dias passam...

De volta à vida

A tela é recolhida, as luzes se acendem e todos esperam pelos ensinamentos de Daniel.

— Senhoras e senhores, já pudemos observar que Fernando teve uma encarnação difícil com sua mãe e com seu pai. Se não fosse o socorro de Jurema, certamente ele não teria terminado aquela existência. Logo após o desaparecimento de Fernando e da escrava Jurema, Roberto foi assassinado por um de seus capatazes, pois, ao chegar à sua casa, o moço, de nome Lourenço, encontrou Roberto, seu patrão, estuprando seu filho, de apenas 12 anos. No momento da fúria, Lourenço não pensou duas vezes. Tirou da cintura um facão afiado e desferiu vários golpes em Roberto, que morreu imediatamente.

"Após a morte do marido, Maria vendeu as propriedades e mudou-se para São Paulo, onde se casou novamente e seguiu sua vida.

"Fernando nunca mais viu suas irmãs e sua mãe e nem sequer soube da morte de seu pai.

"Fernando foi criado por Jurema e, quando cresceu, se tornou capataz na fazenda onde sua mãe, agora ex-escrava, foi acolhida no interior de Minas Gerais. Ele viveu por lá até seu desencarne. Nunca se casou, porque tinha vergonha e trauma de sua infância violenta."

— Daniel, por que eles se encontram agora nesta vida?

— Para que vocês possam entender os porquês dessa existência, Nina, é necessário que retomemos nossas atividades e voltemos a nos encontrar amanhã para dar continuidade a esta, que é uma verdadeira lição de amor.

— Então, vamos voltar ao trabalho e nos encontraremos amanhã — diz Nina, levantando-se da cadeira.

— Vamos — repete Felipe, levantando-se.

Todos voltam às suas tarefas em Amor e Caridade, ansiosos pelo novo dia, quando Daniel lhes trará novos ensinamentos.

Mais tarde...

Logo que chega a uma das enfermarias da colônia, Nina é procurada por Felipe e Lucas.

— Nina?

— Sim, Felipe.

— Eu e o Lucas tivemos uma ideia e gostaríamos de compartilhá-la com você.

— Digam, Felipe e Lucas.

— Nina, eu e o Felipe ficamos com muita pena da Raquel, que ainda se encontra no Umbral. Eu estava pensando se não poderíamos ir até lá conversar com ela. Quem sabe contar isso que vimos hoje sobre seu irmão? Quem sabe ela não fica mais calma?

— Lucas, para irmos ao Umbral, é necessário que os guardiões estejam conosco e que Daniel autorize. Você não sabe disso?

— Eu já falei com eles.

— E o que eles disseram, Felipe?

— Disseram que, se a gente quiser, eles nos acompanham. Mas tem que ser rápido, para que o Daniel não perceba.

— Vocês estão a fim de me arrumar problemas, não é? Se o Daniel descobrir que fomos ao Umbral sem sua permissão, isso pode nos causar problemas.

— Não, Nina, não é nada disso. Mas imagine se a gente contar que o Fernando teve um problema com o Roberto na encarnação passada... Acho que isso vai auxiliar a Raquel. Acho que ela vai ficar mais calma e parar de sofrer tanto.

— Não sei, não, Lucas.

— Vamos, Nina...

— Felipe, eu não gosto de fazer nada sem a permissão do Daniel. Não é correto fazer isso.

— Mas é rapidinho. Nós só vamos lá confortar a menina e dar-lhe notícias de seu irmão. Só isso.

— Está bem. Então, vamos rápido. Mas saibam os senhores que, se o Daniel descobrir e vier me dar uma bronca, direi que foram vocês que tiveram essa ideia.

— Sem problemas, Nina. Eu e o Felipe explicaremos ao Daniel a nossa intenção. Tenho certeza de que ele não vai ficar chateado. Afinal, estamos indo ao Umbral por caridade.

— Onde estão os guardiões?

— Eles estão no portão principal da colônia, Nina.

— Então, vamos.

— Espere, Felipe. Tenho que avisar a Soraya.

— Está bem, Nina. Vamos esperar por você lá no portão.

— Está bem. Vão indo, que encontro vocês dois lá.

Nina segue até a enfermaria de número três e avisa Soraya que vai se ausentar por pouco tempo. Soraya assume a coordenação das alas enquanto sua prima e amiga segue para o Umbral.

Assim, Nina, Felipe, Lucas e os guardiões descem à região densa do Umbral para encontrarem-se com Raquel.

> *Se cada um de nós consertar de dentro o que está desajustado, tudo por fora estará certo.*

André Luiz

O Umbral

Nina, Felipe, Lucas e os guardiões chegam ao Umbral e começam a procurar por Raquel.

Lucas volta ao mesmo lugar onde a deixou.

— Venha, Felipe. Ela está logo ali à frente.

— Estamos indo, Lucas. Venha, Nina.

— Estamos perto?

— Sim — diz um dos guardiões.

O Umbral é escuro e lamacento. A pouca luz que se apresenta vem de uma lua escondida por densas nuvens. A névoa que cobre o lugar não se dissipa. O cheiro é ruim. Há corpos jogados nos lamaçais. Uns respiram; outros, não. Alguns estão vestidos; outros, nus. Nina fica sempre muito assustada quando chega nesse lugar. Mas a presença dos guardiões e o colar protetivo fornecido por eles em algumas das missões anteriormente realizadas no Umbral a deixam um pouco mais segura.

— Felipe, estou com medo.

— Fique calma, meu amor. Já estamos perto da menina.

— Olhem, lá está ela! — diz Lucas, acelerando o passo e indo ao encontro de Raquel, que está sentada sobre uma rocha de uns dois metros de altura, olhando a triste e escura paisagem. Então, o jovem rapaz grita: — Raquel! Raquel!

— Oi, Lucas.

Nina e Felipe se aproximam do grupo, enquanto os guardiões cuidam da segurança de todos.

— Esses são os meus amigos. Essa é a Nina e esse é o Felipe. — Raquel estende a mão e cumprimenta Nina e Felipe. — Ah, já ia me esquecendo: aquele ali é o nosso amigo guardião. Você se lembra dele, não é? No dia em que viemos buscar o Fernando, ele estava conosco.

— Muito prazer em conhecê-los. Eu me lembro do guardião, sim.

— O prazer é nosso.

— Mas a que devo a honra desta visita, Lucas?

— Somos da colônia onde o seu irmão está. Somos da Colônia Espiritual Amor e Caridade — diz Nina.

— Vejo que, pela luminosidade dos seus corpos, vocês são de alguma colônia de luz.

— Sim, Raquel, somos de Amor e Caridade.

— Eu sei. O Lucas me contou que vocês cuidariam do meu irmão.

— Pois é por isso que estamos aqui. Viemos lhe trazer notícias dele e de seu pai, o Roberto.

— Aquele desgraçado?

— Não, o Roberto não está em nossa colônia. Se não me engano, ele continua encarnado — diz Nina.

— É, eu sei. Ele continua encarnado.

— Pois é. Decidimos vir até aqui só para lhe dizer que tudo o que aconteceu com o Fernando é, na verdade, um resgaste de sua vida anterior ao lado de Roberto.

— Eu imaginava que fosse isso.

— Como assim?

— Amigo Lucas, embora eu tenha permanecido aqui, gostaria que todos vocês soubessem que eu e o Fernando já estamos juntos há muito tempo. Quando você veio buscá-lo para sua recuperação aí nessa colônia, eu já sabia que ele precisaria do refazimento para compreender tudo o que enfrentou encarnado. A minha vivência na casa espírita que frequentei por anos me esclareceu muitas coisas, que agora compreendo e aceito tranquilamente.

— Você sabia?

— Sim, Nina, eu sabia. Há muito tempo, acompanho o Fernando. E, olhe, agradeço a preocupação de vocês em me ajudar. A minha condição atual não me permite seguir para nenhuma colônia. Preciso depurar-me aqui no Umbral. Preciso esquecer alguns sentimentos que ainda carrego dentro de mim e sei que só estando aqui e vivenciando as coisas daqui é que conseguirei me libertar do ódio que ainda carrego no meu coração. Na verdade, além de aproveitar para melhorar a minha condição, espero alguém que, em breve, precisará da minha ajuda aqui neste lugar horrendo. E, quando isso acontecer, espero ser resgatada por vocês e espero, sinceramente, conseguir esse merecimento. Por ora, é isso. Aconselho vocês a voltarem correndo para a colônia, pois o Daniel está agora questionando a Soraya sobre onde vocês estão.

— Você conhece o Daniel?

— Nina, existem muitos mistérios que só são explicados na hora exata. Eu, o Fernando, o Daniel e outros amigos de Amor e Caridade estamos juntos há muito tempo. Logo todos vocês poderão saber de tudo.

— Gente, agora eu é que fiquei assustado. Vamos voltar logo para a colônia. Afinal, o Daniel está nos procurando — diz Lucas.

— Não sem antes saber uma coisa...

— Sim, Nina, o que você deseja saber?

— Quem é você?

Raquel vira-se para o lado e seu olhar se perde no horizonte.

Após uma pausa em silêncio, Felipe indaga:

— Sim, Raquel, quem é você?

O guardião se aproxima de Nina e Felipe e diz:

— Precisamos ir.

— Espere, amigo. Precisamos dessa resposta.

— Agora é melhor irmos — diz o guardião.

Raquel caminha para longe do grupo sem lhes dar a resposta.

— Venham, vamos embora — insiste o protetor.

Todos voltam à Colônia Amor e Caridade. Nina e Felipe ficam assustados e, ao mesmo tempo, tentam compreender o porquê de Raquel estar no Umbral.

Se ela conhece Daniel, por que ele não oferece ajuda? Que mistério envolve Daniel e Raquel? E Fernando? De onde vem Fernando? Será que ele é um espírito de luz?

São perguntas sem respostas, que Nina e Felipe certamente irão esperar pelo próximo encontro para perguntar a Daniel.

> *Não reclame das sombras, faça luz.*

André Luiz

De volta à revelação

Um lindo dia se inicia em Amor e Caridade. Pássaros cantam as mais belas melodias matinais. Todos os espíritos se encaminham para seus setores a fim de trabalharem para sua evolução.

Nina se encontra com Felipe na ala das crianças.

— Bom dia, Felipe!

— Bom dia, Nina!

— Por acaso, você sabe a que horas será o nosso encontro com o Daniel?

— Não. O Marques ainda não nos avisou.

— Não vejo a hora de me encontrar com o Daniel e descobrir quem é a Raquel. Estou agoniada em saber todo esse mistério.

— Eu também.

— Venha, Felipe, e me ajude a levar as crianças para a praça. Está na hora de se divertirem.

— Sim, Nina. Você está bem?

— Sim.

— Você está chateada?

— Não, só estou um pouco triste.

— Mas o que houve?

— Coisas de menina, Felipe. Coisas de menina...

— Está bem. Não está aqui quem perguntou...

Após algumas horas, o alto-falante da colônia anuncia que Daniel deseja falar a todos.

— Senhoras e senhores, peço um minuto de sua atenção para ouvirem a palavra de nosso governador, Daniel — diz Marques.

Todos param suas atividades e se mantêm em silêncio para ouvir a mensagem de Daniel.

— Senhoras e senhores, bom dia. Tenho que pedir-lhes desculpas, porque hoje não será possível o nosso encontro para terminarmos de assistir ao Fernando. Alguns fatos novos estão acontecendo atualmente em nosso orbe terreno e requerem concentração e permissão de nossa mentora espiritual para a interferência da falange mais sublime da Espiritualidade.

"Como todos sabem, o planeta Terra passa por um momento de transformação, e é necessário que estejamos conectados às vibrações para que todo o processo se cumpra.

"Fui convocado para uma reunião em outra colônia. Peço a todos que se mantenham em oração pelo momento. Oremos à Espiritualidade Superior, pedindo misericórdia por todos que sofrem presentemente."

Então, Daniel começa a proferir uma prece.

Oremos...

Deus, nosso Pai de bondade e amor, suplicamos a Tua misericórdia para com todos os encarnados e todos os que se encontram em sofrimento presentemente.

Rogamos a Ti luz para os que ainda se encontram nas trevas, paz para os corações aflitos, amor para os desiludidos e compaixão para aqueles presentes no Umbral.

Senhor, que a Tua misericórdia se estenda, ainda, àqueles que não compreendem a nossa missão. Perdoa, Pai, aqueles que julgam sem conhecer os fatos e dá esperança àqueles que sofrem. Permite-nos, Senhor, ser instrumento de amor e esperança para uma humanidade perdida na arrogância e na intolerância.

Glória a Ti, ó Senhor.

Graças a Deus.

Frei Daniel

Todos em Amor e Caridade dão graças a Deus. Assim, Daniel segue junto à sua comitiva para a reunião fora da colônia.

— Poxa, Felipe, vamos ter que esperar o Daniel nos convocar.

— É, Nina, teremos que esperar. Voltemos ao trabalho. É o melhor que podemos fazer atualmente.

— É, vamos.

— Você tem notícias do Fernando?

— Ele continua no sono da recuperação.

— Vamos trabalhar, meu amor.

— Fazer o que, não é? — diz Nina com um sorriso no rosto, demonstrando ter melhorado seu humor.

Os dias passam em Amor e Caridade...

> *Sempre que buscarmos com sinceridade as respostas, elas encontraram uma forma de nos encontrar.*

Osmar Barbosa

Paris

— Bom dia, Fernando!

— Bom dia, Paloma!

— Amanhã será o seu aniversário. Gostaria de saber se você quer que eu prepare alguma coisa diferente. Afinal, a Raquel chega às 8h. Você quer que eu vá buscá-la no aeroporto ou você mesmo faz isso?

— Faço questão de buscar a Raquel, Paloma. Comemorarei o meu aniversário com alguns amigos lá no meu ateliê. Eles já organizaram tudo. Você quer ir?

— Sim, claro. Não perderei a sua festa. Afinal, são 23 anos e eu faço parte dessa história.

Fernando se levanta e abraça Paloma.

— Você é a minha segunda mãe. Você sabe disso. Não vejo a minha mãe verdadeira desde os 16 anos e você é muito importante para mim. Você sabe disso, né?

— Eu te amo, Fernando. Ter você por perto é, sem dúvida, uma honra para qualquer mãe.

— Eu também te amo, Paloma.

— Então, vou ver com o pessoal do ateliê o que eles precisam. Eu e o Michael fazemos questão de participar da sua festa.

— Obrigado, mãe querida.

— Eu te amo, filho.

— Eu também. Agora vou para o ateliê. Tenho algumas reuniões importantes hoje. Amanhã logo cedo, pego a Raquel no aeroporto. Fique tranquila.

— Vá, sim. Mais tarde passo por lá.

Carinhosamente, Fernando beija a face de Paloma e segue para seu ateliê, localizado na parte central de Paris.

Fernando ficou famoso por ser um dos mais requisitados *designers* de joias, profissão que escolheu logo que se formou em uma universidade da França. Produzindo desenhos exclusivos, vive ainda com Paloma e Michael, mas não depende mais do dinheiro de seus pais adotivos. Seu apartamento, comprado recentemente, passa por obras. Ele é um rapaz muito feliz. E se prepara para seu casamento.

No dia seguinte...

— Bom dia, Paloma!

— Bom dia, filho! Você vai para o aeroporto pegar sua irmã?

— Sim, já estou de saída.

— Antes, deixe eu lhe dar um abraço bem forte — diz Paloma, abraçando carinhosamente Fernando. — Eu te amo, viu? Parabéns pelo seu aniversário! Desejo que você seja o ser mais feliz do Universo.

— Eu também te amo muito, mãe. Só tenho a agradecer tudo o que você fez e faz por mim.

— Bobagem, Fernando.

— Agora me deixe correr, senão a Raquel vai ficar perdida no aeroporto me procurando.

— Vá, meu amor. Vá com Deus.

Após uma hora, Fernando está no setor de desembarque, aguardando ansioso por Raquel.

— Ei, menina! — grita Fernando.

Raquel ouve a voz do irmão e sai correndo para abraçá-lo.

Os dois rodopiam de alegria. Fernando beija com ternura sua irmã.

— Nossa, como você está linda!

— Você também está chique, hein?!

— Paris, querida. Paris! — diz Fernando, puxando Raquel para caminharem. — Deixe que empurro o seu carrinho. Você trouxe pouca bagagem. O que houve?

— Querido, vir para Paris com bagagem não é uma coisa muito inteligente, né?

— Verdade, nós podemos fazer compras. Muitas compras!

— Sim, essa é a intenção: compras! — diz ela, rindo.

— Como está a mamãe?

— Na mesma.

— Como assim?

— Vivendo aquela vidinha com o papai.

— E ele?

— Continua bebendo muito. Ele tem andado doente, como lhe falei pela carta. Quando embarquei, a mamãe estava levando-o para fazer uns exames. A coisa não está boa para o lado dele, não.

— Tenho saudades deles. Falar pelo telefone não é o mesmo, né?

— Eles também sentem a sua falta. Mas você é o orgulho de toda a família. A vovó só fala de você.

— Que bom! Ainda bem que vim para cá. Aqui tudo é maravilhoso. Sou respeitado e, acima de tudo, sou feliz.

— Você me disse que comprou um apartamento e que vai se casar! Explique melhor isso.

— Sim, mas ainda não estou morando no apartamento. Está em reforma. Vou lhe apresentar o meu amado. Fique tranquila.

— E é legal?

— O que é legal?

— O seu apartamento.

— Sim, fica num bairro chique.

— Que bom, Fernando, ver você assim, feliz e realizado! Conte-me mais sobre o seu namorado e o seu casamento.

— No momento certo, você saberá de tudo. Agora precisamos ir, que o pessoal está me esperando.

— Já ia me esquecendo do seu aniversário. Parabéns, maninho! Eu te amo mais que tudo.

— Obrigado, maninha.

— Estou feliz em vê-lo assim.

— Eu ainda não realizei todos os meus sonhos. Eu não lhe contei, mas, quando você voltar para o Brasil, eu vou com você, pois quero comprar uma casa para a mamãe e o papai. Uma casa bem linda e que caiba a vovó.

— Nossa, sério que você vai fazer isso?

— Esqueceu, querida, que foi isso que prometi à mamãe e à vovó?

— Tinha me esquecido mesmo. Aliás, venha cá e deixe eu lhe dar um abraço, pois hoje é o seu aniversário. E eu quero sentir o seu cheiro. Estava com muita saudade dele.

Fernando abraça sua irmã com ternura.

— Agora vamos lá para o meu ateliê, que os meus amigos prepararam uma festinha para nós.

— Vamos. Que chique, hein!

— Vamos no meu carro.

— Nossa, meu irmão, que legal ver você assim, realizado.

— Deus foi ótimo comigo quando me mandou para esta terra maravilhosa e, acima de tudo, colocou na minha vida a Paloma e o Michael, além, é claro, do meu grande amor. Depois eu lhe conto todas as novidades.

— É verdade, Deus foi ótimo com você. Mas que novidades são essas?

— Depois conto tudo. Agora me conte um pouco de você. Como você está? Como está a sua vida?

— Ah, eu... terminei a faculdade e estou trabalhando numa gráfica. Cuido da segurança e da logística da empresa.

— Você está feliz?

— Se vivesse em um país onde a homossexualidade não fosse problema, talvez eu estivesse mais feliz.

— Você continua namorando a Carla?

— Namorando... Estamos morando juntas, querido. Felizes e realizadas, embora com pouca grana — diz Raquel, rindo.

— E qual é o problema?

— Meu querido, no Brasil, é complicada a nossa escolha. Eu e a Carla sofremos muito por nossa opção sexual. Há muito preconceito.

— Meu Deus!

— É, maninho. É isso. Desde que você saiu de lá, pouca coisa mudou.

— Venha morar aqui, boba.

— Não posso. A Carla tem família grande e não consegue viver longe deles. Eu até já conversei com ela sobre isso, mas é carta fora do baralho.

— Olhe, se precisar, nem pense duas vezes. Afinal, eu tenho o meu apartamento e lá cabe muita gente. Ele é imenso e lindo.

— Obrigada, Fernando.

— E o papai aceitou você ser *gay*?

— Ele não sabe.

— A mamãe sabe?

— Olhe, Fernando, eu tenho a minha vida. Tenho o meu apartamento, que, embora não seja meu mesmo, é nosso, como a própria Carla diz. Na última vez em que tentei argumentar com a mamãe, ela só fez chorar, dizendo ser castigo de Deus ter dois filhos diferentes. O papai, depois da sua partida, se entregou definitivamente ao álcool. Vive mais bêbado do que sóbrio. A vovó continua com a mesma vidinha: centro espírita-casa, casa-centro espírita.

— E você tem ido ao centro espírita?

— Eu e a Carla somos tarefeiras lá. Cuidamos das crianças enquanto seus pais assistem às aulas e somos responsáveis pela evangelização infantil. Nós as evangelizamos, e isso me deixa muito feliz.

— Nossa, que saudade do centro espírita! Que saudade da Mirna!

— Você não fala com ela?

— Falo às vezes pelo telefone. Mas sinto mesmo é a saudade de abraçar.

— Ela também gosta muito de você.

— Ela continua sendo voluntária no centro espírita?

— Até hoje, ela cumpre a rotina de ajudar meninos e meninas carentes.

— Que legal! A Mirna é um anjo de Deus.

— É verdade, Fernando.

— Chegamos.

— Nossa, que lugar lindo!

— Gostou? — pergunta Fernando, estacionando seu carro em uma vaga exclusiva na frente de uma grande e linda loja de joias.

— Sim.

— Pois bem, seja bem-vinda ao meu ateliê e à minha loja.

— Nossa, você deve estar rico!

— O suficiente para ser feliz e poder comprar uma bela casa para os nossos pais.

— Deus o abençoe, maninho.

— Você também, minha querida.

Fernando e Raquel descem do carro e entram na luxuosa loja de joias.

Fernando é recebido com carinho pelos funcionários e amigos. Paloma já tinha tudo preparado. A festa de aniversário de Fernando se estende até tarde da noite. Todos comemoram a vida naquele lindo e luxuoso lugar.

No dia seguinte...

— Bom dia, Fernando!

— Bom dia, Paloma! A Raquel já acordou?

— Ainda não, mas tenho um recado da Marly para vocês.

— Você não disse a ela que a Raquel chegou bem?

— Disse, sim. Mas não é isso que ela quer falar com vocês.

— O que houve?

— Sente-se aqui, Fernando — diz Paloma, indicando uma cadeira confortável na sala. — Deixe eu pegar um café para você.

— Obrigado, Paloma.

Após servir Fernando, Paloma pede que ele se sente. Atendendo ao pedido de sua mãe adotiva, Fernando se senta, pega a xícara de café com as duas mãos e fica bebericando lentamente.

— Espere um pouco. O Michael está vindo. Ele quer participar deste nosso bate-papo.

— Gente, que mistério é esse?

— Michael?

— Sim, querida.

— O Fernando está aqui esperando por você.

— Sim, estou indo.

— Aconteceu alguma coisa com a minha mãe, Paloma?

— Não, com a sua mãe, não. Mas aconteceu uma coisa terrível com o seu pai.

— Meu Deus! O que houve?

— Espere. O Michael vai lhe explicar melhor.

— Michael, corra para me explicar, por favor! O que está acontecendo com o meu pai?

— Oi, Fernando. Desculpe. Eu estava no banho.

— O que houve com o meu pai?

— Então, o seu pai é portador de insuficiência renal crônica avançada e necessita de um transplante urgente.

— Meu Deus! — diz Fernando, colocando as mãos sobre o rosto.

Paloma se aproxima e o abraça.

— Tenha calma, meu filho.

— Estou calmo, mas o que fazer agora? Logo agora que eu ia comprar uma casa para eles.

— Você vai comprar a casa para eles. O que vocês precisam é achar um doador compatível na família ou entrar na fila do transplante. Mas, conversando com a sua mãe, ela me disse que o estado dele é gravíssimo. Se não for transplantado imediatamente, ele não suportará.

— Meu Deus! Cadê a Raquel?

— Ela está dormindo.

— Vou até lá conversar com ela.

— Vá, sim. Vocês, como irmãos, se entendem. Mas fique calmo. Deus vai prover a solução.

Fernando entra no quarto e vê que Raquel já está acordada. Ela está chorando, por ouvir a conversa de Michael sobre a doença de seu pai quando descia as escadas para tomar o café matinal.

Fernando corre e abraça a irmã.

— Você ouviu?

— Sim. O meu pai, o meu paizinho não pode morrer.

— Vamos para o Brasil agora — diz Fernando, decidido.

— Eu já tenho a passagem de volta. É só remarcar.

— Vamos até o aeroporto e resolveremos isso lá. Ligue para a mamãe e avise que estamos indo.

— Está bem, Fernando.

— Agora levante-se. Vamos tomar café e seguir para o aeroporto.

— Estou indo.

Fernando se dirige à sala e comunica a Michael e Paloma sua decisão, a qual é aceita e apoiada de pronto por seus pais adotivos, que os levam até o aeroporto. Fernando e Raquel conseguem um voo poucas horas após chegarem ao aeroporto e logo viajam para o Brasil.

O que será que Fernando pensa em fazer por seu pai?

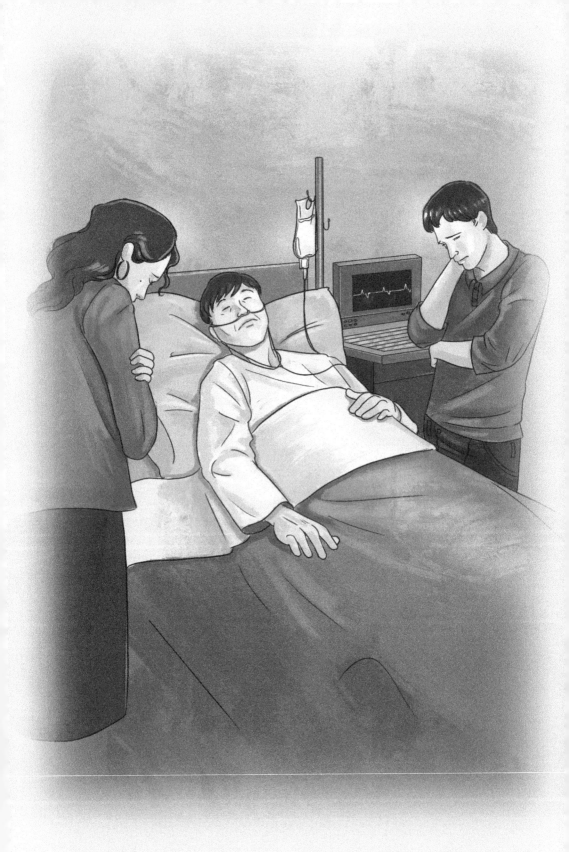

Deixe-me viver

Logo que chegam ao Brasil, Fernando e Raquel se dirigem imediatamente para o hospital onde Roberto agoniza.

— Que porcaria de hospital é esse, Raquel?

— Esse ainda é um dos melhores aqui de São Paulo.

— Meu Deus! Meu pai está ali?

— Sim. Olhe, a vovó está sentada ali.

Ao entrar no hospital, Fernando logo se torna a sensação do lugar. Alto, moreno, bem-vestido, de cabelo liso e muito bem cortado, ele chama a atenção de todos no lugar.

— Olhe se não é a Raquel e o Fernando, Marly! — diz Eleonor.

— Meu Deus, o meu filho está enorme! — diz ela. — Meu filho...

— Mãe...

Eles se abraçam calorosamente.

Raquel se aproxima e abraça a avó.

— Gente, o que houve com o papai?

— O seu pai está no leito de morte, Fernando.

— Não, gente, isso não pode acontecer. Vamos conversar com o médico.

— Venha. O doutor está lá dentro. Vamos conversar com ele.

Fernando, Raquel, Marly e Eleonor se dirigem à sala para conversar com o médico de Roberto.

— Doutor, com licença.

— Sim, podem entrar.

— Com licença, doutor. Sou Fernando, filho do Roberto. Eu acabei de chegar de viagem e gostaria de saber o estado real do meu pai.

— Sentem-se, por favor. — Todos se sentam e Marcos começa a explicar a doença de Roberto: — Seu pai sofre de insuficiência renal crônica, também chamada de doença renal crônica. Ela provavelmente se desenvolveu porque seu pai sofre de diabetes e é alcoólatra. Como ele nunca procurou se cuidar, seu estado atual é gravíssimo.

— O que podemos fazer para salvá-lo?

— Fernando, só um transplante pode dar esperanças ao seu pai.

— Posso ser o doador?

— Qualquer um que esteja gozando de saúde pode ser o doador se houver compatibilidade.

— Então, vamos fazer o transplante.

— Fernando, meu filho, eu doo para o seu pai.

— Mamãe, a senhora já é uma mulher velha e debilitada. Eu ainda sou jovem e posso me recuperar rapidamente. Afinal, um rim não vai me fazer falta.

— Deixe que eu seja a doadora, Fernando — diz Raquel.

— Gente! Gente! Não é assim que as coisas funcionam. Para você ser um doador, tenho que fazer uma série de exames e o doador precisa ser compatível em vários aspectos.

— Então, vamos fazer os exames, doutor. Quem estiver melhor será o doador do papai — diz Fernando.

— Combinado — diz Raquel.

— Vamos, doutor. Não podemos perder tempo.

— Fernando, é esse o seu nome, não é?

— Sim, eu me chamo Fernando.

— Para podermos operar o seu pai, primeiramente precisamos transferi-lo para um hospital mais preparado para isso. Aqui nós não temos condições de realizar essa cirurgia. Além disso, tem que ter vaga para a realização da cirurgia.

— Doutor, não importa quanto teremos que gastar. Providencie tudo, que eu pago.

— Ok, Fernando. Verificarei a disponibilidade do hospital e lhe avisarei. Quanto aos exames necessários, faremos lá no hospital onde será realizada a cirurgia do Roberto.

Olhe, e tem mais: orem. Orem muito para ele resistir à cirurgia e para que vocês dois possam ser compatíveis. Ele está muito fraco e debilitado, mas vamos tentar.

— Deus é maior, doutor.

— Vou pedir aos bons espíritos que nos auxiliem atualmente — diz Eleonor.

— Deixe-me agir — diz Marcos, levantando-se da cadeira.

— Estaremos lá fora esperando o senhor.

— Sim, me esperem. Vou fazer algumas ligações e lhes aviso em breve.

— Obrigado, doutor.

Fernando está visivelmente abalado com a doença do pai, mas tenta não transparecer sua preocupação para a mãe, a avó e a irmã.

Todos saem da sala e ficam à espera de notícias.

— Fernando, você tem dinheiro para pagar tudo isso?

— Tenho, mamãe. Fique tranquila. Tenho dinheiro suficiente para cuidar bem de vocês.

— Meu Deus, como você está bonito, meu filho!

— Obrigado, mamãe.

Após duas horas, Marcos procura pela família.

— Está tudo pronto. Vocês já podem ir à frente, que vou na ambulância com o Roberto. Nós nos encontraremos lá no hospital.

— Obrigado, Marcos.

Após algum tempo, todos estão no hospital. Fernando e Raquel fazem o exame para um deles ser o doador do rim. Raquel não é aprovada. Então, só o jovem Fernando pode doar um rim para seu pai.

Assim, após algumas horas intermináveis, Fernando salva a vida de seu pai, que recebe um órgão saudável.

Após 22 dias, eles finalmente se encontram.

— Roberto, bom dia.

— Bom dia, doutor Marcos.

— Com se sente?

— Ótimo. Estou muito bem. Novo para uma nova vida.

— Que bom! Bom, Roberto, atendendo ao pedido de sua família, nunca lhe revelei quem foi o doador de seu rim. Agora vejo que você já está preparado para saber quem foi a pessoa que doou o órgão para você. Hoje, meu amigo, posso lhe responder quem salvou sua vida.

— Sim, doutor, eu realmente gostaria muito de saber quem foi que teve esse nobre gesto de salvar a minha vida. Aproveito para lhe pedir desculpas por insistir tanto todos esses dias para saber quem foi o doador.

— Pois bem. Sua esposa está aí fora. Permitirei sua entrada e você conversará com ela, ok?

— Obrigado, doutor. Muito obrigado mesmo por tudo o que o senhor fez por mim.

— Com licença — diz Marcos, retirando-se do quarto.

Marly entra no quarto com Raquel e Eleonor.

— Oi, pai!

— Oi, filha! Que bom que você está aqui! Você voltou de viagem por mim?

— Sim, voltei logo que soube do seu estado de saúde. Estou muito feliz em ver você assim, saudável e com a cor recuperada, pai.

— Eu também, filha. E quero aproveitar para lhe prometer uma coisa.

— O que, pai?

— Eu nunca mais vou beber.

— Que bom, né, Roberto! Afinal, agora você já é um senhor e tem diabetes. Precisa se cuidar. Você ainda tem uma longa vida pela frente.

— Pode deixar, Marly. Eu estive muito perto da morte. E hoje tenho plena consciência de que tenho que mudar a minha vida. Não dá mais para viver como vivi até hoje. Confiem em mim. Eu lhes prometo uma vida nova.

— Que ótima essa sua decisão, papai!

— Roberto, eu tenho uma surpresa para você. Você está calmo?

— Sim, Marly, eu estou bem.

— Posso mandar essa pessoa entrar?

— Pessoa? Sim, mas quem está aí? Quem é que você está me escondendo?

— O seu filho está aí fora, pronto para abraçá-lo.

— Aquela aberração está aí?

— Aquela aberração foi quem salvou a sua vida — diz Marly.

— Como assim?

— O Fernando foi o único doador compatível e com a saúde plena, capaz de doar o rim para você. Largou tudo em Paris quando soube do seu estado. Veio voando para o Brasil, pagou todas as despesas de hospital, cirurgia, tudo... E ainda foi ele o único compatível para salvar a sua vida.

— Meu Deus, como assim, Marly? Ele fez tudo isso por mim?

— O seu filho largou toda a vida na França e correu para lhe salvar a vida. E quer saber mais? Foi ele quem pagou todas as despesas do hospital. Se não fosse ele, dificilmente você estaria aqui para viver este momento. Deixe de ser ingrato, homem! Será que nem estar muito perto da morte faz você enxergar que o seu filho te ama? — diz Eleonor.

Lágrimas umedecem o olhar de Roberto, que sente em seu peito uma amargura incontrolável. Sente-se arrependido por tudo que fez a seu filho.

— Não chore, papai — diz Raquel, aproximando-se do pai.

— Não estou chorando lágrimas de tristeza. Choro as lágrimas da felicidade de Deus ter me permitido ter um filho tão bondoso. Peça a ele para entrar, por favor. Eu só espero sinceramente que ele me perdoe por todo o mal que lhe fiz.

— Só seja educado e cuidadoso, pois ele está recém-operado, assim como você.

Apoiando-se nos cotovelos, Roberto ergue seu corpo a fim de sentar-se na cama.

Fernando entra lentamente no quarto e se dirige ao leito do pai.

— Meu filho, perdoe-me — diz Roberto, abrindo os braços e chorando compulsivamente.

Fernando abraça carinhosamente Roberto e, juntos, corpo a corpo, eles podem sentir seus corações palpitando de alegria e amor.

— Meu pai, eu te perdoo, sim, pois te amo muito.

Lágrimas descem da face de Fernando, que, emocionadíssimo, não contém a alegria e a emoção de ter salvado a vida do pai.

Há lágrimas nos olhos de todos naquele ambiente de amor e perdão. Todos se abraçam. Marly abraça Raquel e todos choram.

Fernando carinhosamente seca com os dedos as lágrimas da face de Roberto, que, muito emocionado, permanece agarrado ao filho.

Espíritos amigos estão no quarto naquele momento, auxiliando o mentor de Fernando. Eles estendem as mãos, levantando-as em direção a Fernando e Roberto, que conseguem sentir uma luz que ilumina todo o lugar. Todos choram e se abraçam. Roberto não reclama da condição do filho. Pelo contrário, o elogia, dizendo ser um belo rapaz. Todos ficam felizes.

Após 46 dias, Roberto recebe alta e volta para casa.

Fernando, já recuperado, espera a ambulância chegar, trazendo Roberto para a casa recém-comprada pelo rapaz para seus pais e sua avó.

Todos estão muito felizes.

— Olhe, vovó, lá vem a ambulância! Será que o papai vai gostar desta casa que comprei para vocês?

— É claro que sim, meu amor.

Roberto fica emocionado ao entrar na casa e sente-se feliz.

Marly preparou um almoço especial para a família que, feliz, comemora uma nova vida.

— Então, Fernando, quando é que você volta para Paris?

— Viajo no sábado, vovó.

— Poxa, mas tão perto?

— É mesmo, maninho, tão perto. Hoje já é quinta-feira, poxa.

— Mas você vem no Natal, não é, filho?

— Venho, sim, pai. Venho, sim. Prometo. Mas temos que tratar de um assunto.

— O que, filho?

— Eu vou me casar em breve. Quero saber de vocês se posso trazer o meu marido.

Após um silêncio…

— Deixe-me lhe dizer uma coisa, filho. Eu sei que tudo o que fiz com você foi ignorância da minha parte. Já lhe pedi desculpas, perdão e tudo o que um pai arrependido pode pedir. Quero lhe dizer uma coisa e quero que você transmita ao seu marido. Diga que ele não é somente seu marido. Diga a ele que, a partir do casamento de vocês, ele é também nosso filho e será muito bem-vindo à nossa casa.

— Pai… — Fernando abraça o pai carinhosamente e lhe beija a face. — E você, Raquel, não quer ir comigo? Assim, você aproveita. Afinal, suas férias foram interrompidas pela doença do papai.

— Não, infelizmente não posso. As minhas férias foram aquelas que o meu trabalho me permitiu. Agora só no próximo ano.

— Que pena!

— Será que um dia você virá morar no Brasil de novo, Fernando?

— Não, vovó. A minha vida já está construída na França. Tenho o meu trabalho, a minha empresa e o meu amor.

— Que pena! Sinto muito a sua falta.

— Mas amanhã quero me despedir do Brasil com estilo.

— O que você quer fazer, Fernando?

— Quero que você me leve na melhor boate aqui de São Paulo, maninha.

— Deixe comigo, que vou levá-lo na melhor de todas.

— Cuidado, crianças. A violência em nossa cidade está cada dia pior.

— Fique tranquila, vovó. Nós vamos de táxi. Assim, não corremos risco.

— Divirta-se, meu filho. Aproveite sua última noite aqui.

— Pode deixar, mamãe, que sei aproveitar a vida.

— É, filho, aproveite — diz Roberto. — Olhe, filho, obrigado por esta casa.

— Pai, quando saí do Brasil, prometi a mim mesmo que realizaria o sonho da mamãe e da vovó. Graças a Deus, tudo está bem agora.

— Graças a Deus! — diz Marly.

— Agora vamos almoçar e aproveitar o dia — sugere o alegre Fernando.

> *Tudo é amor.*
> *Até o ódio, o qual julgas ser a antítese do amor, nada mais é senão o próprio amor que adoeceu gravemente.*

André Luiz

A vida além da vida

Madrugada em São Paulo...

— Venha, Fernando! Venha! — diz Raquel.

Fernando está muito feliz. Tem ao seu lado sua querida irmã. Eles caminham após uma noite de muita diversão na melhor boate de São Paulo. São 4h da madrugada fria de São Paulo.

— Onde será que vamos conseguir um táxi? — diz o rapaz.

— Vamos atravessar a praça.

— Sim, vamos para a outra avenida. Quem sabe lá encontraremos um...

Fernando e Raquel não percebem, mas estão sendo seguidos por um grupo de aproximadamente oito rapazes, carecas e tatuados.

Ao passarem por um lugar mais escuro, Fernando e Raquel são cercados pelos rapazes.

— E aí, seus anormais, estão indo para onde?

— Venha, Raquel. Não dê confiança.

— Meu Deus!

Sem falar nada, um dos rapazes dá uma paulada na cabeça de Fernando, que perde os sentidos imediatamente e cai no chão. Raquel tenta proteger o irmão e também é espancada até a morte pelo grupo intolerante.

Fernando, após apanhar bastante, falece sem ao menos pronunciar qualquer palavra. Após o espancamento, o grupo corre na direção oposta à boate. Alguns transeuntes se aproximam e chamam a polícia para socorrer os irmãos, que estão mortos, caídos ao chão.

Alguns espíritos estão assistindo a tudo e encaminham Raquel e Fernando para o Umbral.

Daniel convoca todos para o encontro no galpão. Marques é o encarregado de avisar do chamado de Daniel.

— Nina, avise a todos: o encontro com o Daniel será hoje à tarde no salão principal.

— Ainda bem! Pensei que o Daniel havia se esquecido de terminar o ensinamento que nos propôs.

— O Daniel não esquece seus compromissos, Lucas. Ele simplesmente estava muito ocupado.

— Perdoe-me, Marques. Perdoe-me.

— Compreendo sua ansiedade em saber tudo sobre o Fernando e a Raquel. Mas o Daniel, do alto de sua sabedoria, espera o momento mais oportuno para passar para todos nós seus ensinamentos. Agora, vá e avise a todos, por favor.

— Pode deixar, Marques.

Assim, todos se encontram no salão e aguardam a chegada de Daniel.

Vestido com um roupão branco que lhe cobre todo o corpo, Daniel chega para o encontro iluminado.

— Boa tarde a todos!

— Boa tarde, Daniel! — respondem todos em uma só voz.

— Há alguns dias, me reuni aqui neste mesmo lugar com vocês para lhes passar um ensinamento. Começamos a acompanhar a trajetória de um espírito que chamamos carinhosamente de Fernando. Ele e sua irmã, a Raquel, viveram por algum tempo uma experiência necessária a seus ajustes. O Fernando, como todos puderam ver, teve em sua última encarnação a oportunidade de ajustar-se com seu pai de outras vidas, chamado Roberto. Após sofrerem juntos, o Fernando pediu-nos a oportunidade de reencarnar como seu filho, só que, dessa vez, seu pai não poderia tocar-lhe o corpo. Decidiu-se que outros homens se utilizariam do corpo do pobre rapaz para que seu pai desenvolvesse em seu âmago o sentimento da ternura sem ser atraído pela sexualidade. Assim, o Fernando encarnou como homossexual e seu pai teve a oportunidade de experimentar ter um filho discriminado, maltratado e até assassinado por sua condição, ou melhor, por sua escolha sexual.

"Por isso, ele se sacrificou nessa sua última encarnação doando para seu rival um órgão vital, que lhe salvou a vida.

No encarne da fazenda, o Roberto abusou de seu filho, que lhe foi subtraído pela escrava Jurema, como todos vocês puderam ver.

"Agora lhes foi mostrada a última encarnação desse grupo de espíritos. O Roberto continua sua vida com a Marly na bela casa que o Fernando comprou para eles antes de ser assassinado. Os bens que ele possuía na França foram doados para a Marly, que agora dispõe de excelente condição financeira e trabalha na caridade. Após muito relutarem e tentarem receber notícias de seus filhos, a Marly e o Roberto começaram a frequentar o centro espírita na esperança de receberem uma carta consoladora. Esse foi o caminho que lhes foi oferecido para aprenderem as Leis de Deus da forma mais inteligente que existe hoje sobre a Terra. Auxiliados por Eleonor e Mirna, Marly e Roberto são hoje tarefeiros que ajudam muitas pessoas na casa espírita.

"O Fernando teve que passar pelo Umbral para depurar-se das mazelas perispirituais que o envolviam. Mas a misericórdia divina lhe permitiu estar lá dormindo como uma criança enquanto toda a energia deletéria que o acompanhava era dissipada no Umbral.

"Assim, os ajustes finais estão cumpridos."

— Daniel, desculpe-me, mas posso lhe fazer uma pergunta?

— Claro que sim, Nina.

— E a Raquel? Por que ela ficou no Umbral? Quem é a Raquel?

— A Raquel é, na verdade, a escrava Jurema, que acompanha o Fernando por muitas encarnações. A Raquel é trabalhadora da Colônia da Regeneração. Ela e o Fernando são de lá.

— Agora está explicado por que ela não quis nos falar nada.

— Sim, Lucas. A Raquel é um espírito de luz que está em missão de auxílio a esse grupo.

— Quer dizer que ela está ligada a todos eles?

— Sim, Felipe. A missão da Raquel é com o Fernando e o Roberto.

— Então, por que ela ficou no Umbral?

— Nina, e todos... Eu vou convidá-la a falar com todos vocês agora mesmo, neste exato momento.

Raquel sai do corredor que dá acesso ao palco e cumprimenta todos.

— Boa tarde!

— Boa tarde, Raquel! — respondem todos, espantados com a presença daquela que deveria ainda estar no Umbral.

— Seja bem-vinda, Raquel. Todos aqui acompanharam suas últimas encarnações e estão muito curiosos para saber de sua ligação com o Fernando e o Roberto — diz Daniel.

— Não fiquem. Vou lhes explicar. Podemos nos sentar, por favor?

Todos se sentam.

— Sim. Por favor, sente-se aqui — diz Daniel, apontando para uma cadeira branca colocada ao lado de sua cadeira. Na frente de ambos há uma jarra com água e dois copos.

Raquel, então, começa a falar:

— Eu e o Fernando estamos ligados pelas tarefas que realizamos na Colônia da Regeneração. Como o nome já diz, a Colônia da Regeneração é onde podemos nos regenerar, onde podemos nos transformar e, assim, vencer as demandas evolutivas.

"O Fernando, após longo período na colônia, decidiu reencarnar e ajustar-se com o Roberto, espírito rival. O ódio mantido pelos dois só atrapalhava a evolução de ambos. Assim, foi-nos permitido reencarnar naquele grupo.

"O Fernando finalmente conseguiu perdoar seu rival, que também o perdoou, como todos vocês puderam ver. A doação do órgão foi vital para eles selarem o perdão.

"Permaneço no Umbral porque preciso preparar o lugar para receber o Roberto, que, dentro em breve, vai desencarnar, vítima de diabetes, que contraiu pelo excesso de álcool no organismo, como todos puderam ver. Nem preciso explicar-lhes mais os motivos por que permaneço no Umbral, vocês não acham?"

Todos sinalizam com a cabeça que entenderam a mensagem de Raquel.

— Perdoe-me, Raquel, mas posso lhe fazer uma pergunta?

— Sim, Nina. Pode perguntar o que quiser.

— Quando o Lucas chegou do Umbral, ele estava muito mexido após o encontro com você. Você tem alguma ligação com ele?

— Sim, eu tenho uma ligação com o Lucas. Venha até aqui, Lucas, por favor.

Assustado, Lucas se levanta e se dirige ao palco, onde Daniel e Raquel estão.

— Venha, Lucas — diz Daniel, carinhosamente.

Lucas se aproxima de Raquel, que o abraça e diz:

— Eu, o Lucas e o Fernando estamos há muito tempo juntos. O Lucas ainda não se lembra, porque é necessário que eu volte para cá com o Roberto. Assim que eu chegar, o Daniel providenciará para que todos vocês conheçam essa ligação que existe entre nós. Por ora, fica o meu abraço e agradecimento ao Lucas por ir buscar o Fernando e estar aqui nesta colônia de amor.

— Mas eu não posso saber agora?

— Não, Lucas. Nós precisamos esperar pelo desencarne do Roberto. Assim que ele chegar aqui, prometo que lhe mostrarei essa ligação — diz Daniel.

— Mas por que, então, eu não me lembro de nada? Por que apenas tenho a sensação de que conheço a Raquel e o Fernando?

— As sensações são sinais que nos ligam às pessoas e às vidas anteriores. Quando sentir que conhece alguém mesmo sem nunca o ter visto, isso é a comprovação das existências anteriores, dos laços fraternos que nunca se desfazem.

— Compreendo, Daniel. Então, o que tenho a fazer é esperar?

— Sim. Seja paciente, Lucas, e logo tudo estará revelado.

— Obrigado, Daniel — diz Lucas, abraçando Raquel.

— Seja compreensivo, Lucas — diz Raquel.

— Sim, sem problemas, Raquel. Eu sei esperar as coisas de Deus.

— Isso mesmo, meu amado irmão.

— Agora voltemos ao nosso assunto — diz Daniel.

— Posso lhe fazer outra pergunta, Daniel?

— Claro que sim, Nina.

— Todos os homossexuais que estão encarnados estão em missão de ajuste?

— Boa pergunta, Nina — diz Daniel. — Hoje, o planeta Terra experimenta a entrada de uma nova era. Muitos dos espíritos que são homossexuais estão nessa condição porque experimentaram longos períodos na psique contrária. Sendo assim, eles precisam dessa experiência para se encontrarem realmente com a masculinidade ou com a feminilidade. Como todos aqui sabem e puderam experimentar, nós, espíritos, não temos um sexo definido. E, após experimentarem centenas e até milhares de anos na psique feminina, necessário se faz que esses espíritos precisem se ajustar. Outros que se dizem homossexuais experimentam um modismo que logo passará. Mas aqueles que nascem nos corpos trocados normalmente estão vivendo uma experiência de resgate. Aquelas crianças que questionam desde cedo seu corpo, essas, sim, estão em missão. Estão vivendo experiências de ajustes.

— O que dizer daqueles que sofrem tanto por isso, Daniel?

— Nina, o planeta Terra ainda é um planeta primitivo. Todos os espíritos que nele estão encarnados estão pela necessidade de evoluir.

— Mas, Daniel, é muito sofrimento. Vejam vocês que o pobre Fernando e a sua irmã foram assassinados pela intolerância.

— Muitos perecem pela intolerância no planeta Terra. Jesus padeceu pela intolerância, assim como tantos outros mártires. Muitos dos que agora trabalham na caridade são julgados e injuriados por aqueles que, por muitas vezes, os abraçavam. É assim, Nina, que, com o tempo e a razão, tudo ficará esclarecido. Haverá, ainda, o dia em que todos os que estão sobre o solo terrestre estarão na verdadeira busca, a busca da perfeição, tão sonhada pelo Criador para Seus filhos.

— Que lindas as suas palavras, Daniel!

— Obrigado, Felipe. Mas tenho algo ainda mais importante para lhes dizer. Aliás, vou pedir à Raquel para lhes transmitir as últimas palavras deste encontro. Por favor, Raquel.

— Obrigada pela oportunidade, Daniel.

— Prossiga, querida irmã.

Então, Raquel toma a palavra:

— Tudo o que d'Ele provém nos direciona à perfeição. Ele, que a todos ama e a todos auxilia, deseja fervorosamente que aqueles que estão hoje encarnados, trabalhando na caridade, estendam a bandeira da paz e da simplicidade, por ser lá que Ele está. Muitas igrejas e muitas casas espíritas estão sendo abertas por pessoas que não estão preparadas para a caridade. Falsos médiuns, falsos caridosos e pessoas que nunca experimentaram a relação médium-mentor espiritual simplesmente pregam o Evangelho com interesses próprios.

"Muitos constroem templos e edificam castelos belíssimos que não refletem a beleza do espírito comprometido com a caridade. Infelizmente, ainda não temos permissão para interferir nesses infelizes lugares. Cabe aos espíritos mais iluminados cuidarem dos inocentes, que, muitas vezes, são levados a esses lugares com seus corações transbordando de amor. Nós, que estamos auxiliando o Criador, rogamos todos os dias por essas almas infelizes, incrédulas, incapazes, que não conseguem enxergar um palmo diante dos olhos. Não veem que só há um caminho. Não vigiam se, na verdade, são seus desejos mais ardilosos que os impulsionam à falsa mediunidade ou falsa caridade. Juntam-

-se na bandeira do Cristo, mas servem verdadeiramente ao mal, que prolifera nos templos erguidos pela vaidade e pelo desamor.

"Nós, por intermédio dos médiuns psicográficos, estamos enviando muitas mensagens para todos, na esperança de que esses irmãos acordem. Na esperança de que esses corações sejam modificados. Na esperança de que esses corações, endurecidos pela vaidade, pelo ego e pelo orgulho, compreendam que só há um caminho.

"A homossexualidade não é uma doença, tampouco uma maldição. O amor é o único sentimento capaz de transformar tudo ao redor do espírito, esteja ele encarnado ou desencarnado, como todos aqui sabem.

"Tolos são aqueles que acham que o mundo espiritual é algo sobrenatural. Sobrenatural, no que diz a palavra, pode até ser, para quem ainda não tem a consciência do que é isto aqui. Mas não há nenhuma surpresa quando a alma se desliga do corpo físico. Tudo é normal. Aqui há vilas, casas, ruas, teatros, lojas, galpões... Enfim, tudo o que existe no mundo material, existe aqui, só que de uma forma fluídica, diferente, mas perfeita, pois todos que estão aqui e que estão chegando aqui precisam ajustar-se, e nada melhor do que não haver surpresas. Lembrem-se de que Deus nos ama profundamente. Ele não é tirano, carrasco e, muito menos, imperfeito.

"O homem encarnado vive de sonhos. Aqui não há sonhos; aqui só há realidades. Portanto, preparem-se para vir para cá. Preparem-se para o dia em que deixarão para trás aqueles que conviveram com vocês nesta experiência terrena. Nada termina. Tudo continua. Não se prendam a velhos livros. Se fosse assim, nós não estaríamos agora mesmo nos utilizando deste médium para lhes escrever estas linhas. Raciocinem e exercitem a liberdade. Vivam como se hoje fosse o último dia. E sejam felizes como todos somos aqui em Amor e Caridade e nas centenas de colônias espirituais espalhadas sobre o orbe terreno."

Após uma pequena pausa, Raquel e Daniel se colocam de pé para agradecerem a todos presentes por aquele dia.

— Obrigada a todos — diz Raquel, emocionada.

Todos os espíritos se levantam e aplaudem de pé, agradecidos pelos ensinamentos passados por Daniel e Raquel.

Raquel abraça o bom companheiro. Nina e Felipe sobem ao palco para abraçar Daniel e Raquel.

Todos estão felizes em Amor e Caridade.

Fim

Títulos lançados por Osmar Barbosa

Conheça os livros psicografados por Osmar Barbosa. Procure nas melhores livrarias do ramo ou pelos sites de vendas na internet.
Acesse
www.compralivro.com.br

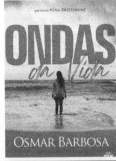

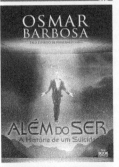

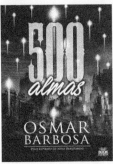

  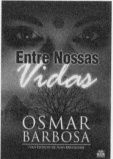
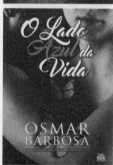  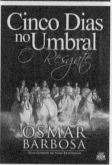

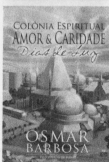  

  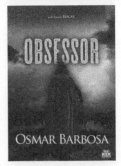

  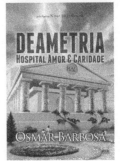

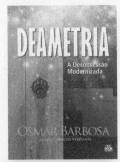  
  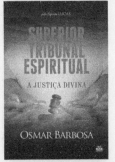

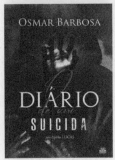  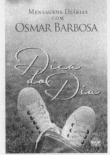

Esta obra foi composta
na fonte Century751
No2 BT, corpo 13.
Rio de Janeiro, Brasil.